新潮文庫

# コーランを知っていますか

阿刀田 高著



7799

# 目次

# コーランを知っていますか

挿画・カット　矢吹申彦

# ❶ 扉を開けると

扉を開けると、雌牛《めうし》がモォゥ。

——びっくりしたなあ、モォゥ——

なんて、ジョークが過ぎるだろうか。

とはいえ、これはアラーの神にうとい異教徒にコーランの大意をやさしく伝えるためのエッセイ、多少の方便はお許しいただきたい。

コーランの第一章は〈開扉《かいひ》〉である。〈開端《かいたん》〉とも訳されるが、とにかくオープニング。文字通り神の言葉を納めたコーランの扉が厳《おごそ》かに開かれるわけだが、これに続く第二章のタイトルが〈雌牛〉なのだ。やんごとない聖典が開かれたとたん、いきなり雌牛が顔を出したりすると、やっぱり私は戸惑ってしまう。

——アラーの教えと雌牛はよほど関わりが深いのだろうか——

と考えてしまうが、これは少しちがう。少しと言うより、かなりちがう。〈雌牛〉の章にも、それほどつまびらかに雌牛のことが記されているわけではない。わずか三十行ほど……。私たちの常識なら、タイトルは内容を要約するもの、とても大切な役割を担《にな》っている。関わりが薄いとなると、

——こんなときには、こういうタイトルをつけないものだがなあ——

であろうけれど、コーランには私たちの常識では割り切れない部分がある。あちこ

ちに散っている。扉を開けたとたんに雌牛が現われたとしても、とりあえずは牧歌的な風景でも脳裏に映して、

――ふーん、こういうオープニングもあるんだ――

と理解しておこう。

さて、話を第一章に戻して……この章の特徴はとても短いこと。たった七節八行。だが、この七節は短いながらコーランの本質を告げている。膨大なコーランのエッセンスが、ここに明示されている。もしかしたら、この七節を理解すれば……本当に完全な理解ができたならば、コーランの本質が〝わかった〟と、そう言ってもよいくらい。それほどの重みがある。イスラム教徒は、いつもこの七節を心に留めて生きているとか。

そこで早速、その七節八行を引用してお目にかけよう。

〝慈悲あまねく慈愛深きアラーの御名《みな》において。

万有の主《あるじ》、アラーにこそ凡《すべ》ての称讃《しょうさん》あれ、
慈悲あまねく慈愛深き御方、

最後の審《さば》きの日の主宰者に。
わたしたちはアラーにのみ崇《あが》め仕え、アラーにのみ御助けを請《こ》い願う。
わたしたちを正しい道に導きたまえ、
アラーが御恵《み》みを下された人々の道に、
アラーの怒りを受けし者、また踏み迷える人々の道ではなく〃

（第一章〈開端〉第一〜七節）

第一節の〃慈悲あまねく慈愛深きアラーの御名において〃はコーランの決まり文句で、各章の第一行目はほとんど全《すべ》てこれで始まる。アラーを称《たた》えているのは当然として、そのアラーは〃万有の主〃つまり時間空間を越えた全世界の主なのだ。そして最後の日の審判を取りおこなう。〃わたしたちはアラーにのみ崇《あが》め仕え、アラーにのみ御助けを請い願う〃は、とても大切。うっかりしていると読みすごしてしまいそうだが、ここにある〃アラーにのみ〃はかりそめのものではなく、アラーが唯一《ゆいいつ》の神であること、ほかの神にはけっして浮気しないことを宣言している。唯一神アラーに呼びかけて〃正しい道〃に導いてほしいと願っているのだ。
「わりとよくあるパターンじゃない」

などと軽く言ってもらっては困る。一節一節にこの神の属性がきっかりとしたためられている。一に全世界の支配者にして唯一の支配者であること、二に最後の審判という総決算が実在すること、そして三にアラーがその主宰者であること、以上三つを明言している。三つながらしっかりと読み取っておいてほしい。

私たち日本人は天照大神《あまてらすおおみかみ》から始まって海の神、山の神、一族の神、職業の神、あるいは貧乏の神からトイレットの神まで、さらにはおしゃか様も、まあ、いいんじゃないの、と、節操がないと言われても仕方がないほど多神教になじんでいるから、唯一の神というテーゼには理解が届きにくいところがあるけれど、イスラム教では、これがとても重要なポイント、これを心から理解することが肝要だ。

そう言えば、昔、あるとき、敬虔《けいけん》なイスラム教徒と話をしていて、

「異教徒と結婚しちゃ、いけないの？」

と尋ねれば、

「駄目です。ユダヤ教徒やキリスト教徒なら許されるけど」

「えっ？　仲わるいじゃない」

現下のパレスチナ情勢を思えば、仲のわるさは論をまたない。

「でもユダヤ教もキリスト教も同じ一神教ですから」

と彼は鼻を蠢《うごめ》かしながら言うのである。

ひとくちにイスラム教徒といっても結婚制度については時代により国柄によりいろいろな慣行があるだろうけれど、本筋は右に述べた通りらしい。

「仏教徒は？」

「いけません。多神教だし……仏教は宗教じゃないのとちがいますか。あえて言えば哲学……。人間が考えたことです。イスラム教は神が直接伝えたことですから」

「ユダヤ教も、キリスト教も、そうなんだ」

「はい。同じ一神教です」

同じ一神教なら、その神がみんなアラーだと考えることもできる。もともとユダヤ教やキリスト教と、イスラム教は関わりの深い宗教でもある。

「仏教は人間が考えたことかなあ？」

「おしゃか様は人間でしょ」

まあ、まあ、まあ、この件については追ってもう少し詳しく述べるとして、ここではことほどさようにイスラム教にとって唯一神が大切であることを心に留めておいていただきたい。

そして、もう一つ、私たちは「おぎゃー」と生まれ「くくッ」と息を引き取るまで、これを人間の一生と考えるが、アラーの教えはちがう。いま述べた一生はただの通過点、東海道新幹線で言えば東京を出て小田原に着くまでくらい。その先に長い、長い道のりがある。顕然たる来世がある。そして、ある日、あるとき、裁きの大法廷が開かれ、その主宰者がアラーの神、現世で神の教えを守って正しく生きた者には至福がもたらされ、悪《あ》しき所業の者には耐えがたい責め苦が待っている。いい気になって小田原まで神をないがしろにしていると、それから先は博多《はかた》と言わず、どことも知れない果ての果てまで永遠に苦痛の中に置かれる、というわけだ。

この審判と、それに続く至福と苦痛の日々を、どこまで信ずるか、それを信じて唯一神アラーをどう敬い尊ぶか、第一章七節の理解は、煎《せん》じ詰めればここにかかっている。先に〝この七節を理解すればコーランの本質がわかった、〟と言ってもよいくらい〟と記した所以《ゆえん》である。とりあえず熟読玩味《がんみ》してほしい。私はサウジアラビアで入手した、コーランの音声テープを所持しているが、冒頭の詠唱が鳴り響くや、

「ビスミッラーヒ　アッラフマーニッラヒーミ

アルハムドリッラーヒ　ラッビルアーラミーン

アッラフマーニッラヒーミ」

いつ聞いても、わけもなく厳かで、神々《こうごう》しい。コーランは神の音楽でもある。本来

はアラビア語で表記されるべきものであり、片仮名はなじまないが、いくばくかのイメージが膨らむ。アラーのことを考えてしまう。

お話変わって第二章〈雌牛〉に移ると、これは滅法長い。第一章の七節八行に比べて二八六節、一節は一行を越えることが多いから、ざっと千行。五十ページ余りを占めている。本当に眠くなるほど長い。

コーランの構造を略記すれば、全部で一一四章から成っている。短いほうは三節三行、四節四行などもあるから、いま述べた第一章が最短ではないけれど、章により長短いろいろ、分量にばらつきがあるのは本当だ。長いほうでは二〇〇節を越えるものが四章あって、この〈雌牛〉が全編を通じて一番長い。

長いばかりか第二章の〈雌牛〉は第一章とはべつな意味でコーランを代表している。第一章がエッセンスであり真髄を短く示したものであるのに対し、第二章はコーランで扱うほとんどのトピックスに触れている。

だから、ご用とお急ぎのむきには、この第二章を読んだだけで、

——なるほど、これがコーランか——

おおよその見当がつく。世の中には読んでおきたい古典がたくさんあるのに人生は

短い。読書に当てる時間はさらに少ない。コーランについては、こんな速読法もないではない。とりあえず第二章の冒頭の十節を引用してお目にかければ、

〝慈悲あまねく慈愛深きアラーの御名において。

アリフ・ラーム・ミーム。

これこそは、疑いの余地のない啓典である。その中には、主を畏《おそ》れる者たちへの導きがある。

主を畏れる者たちとは、幽玄界を信じ、礼拝の務めを守り、またアラーが授けたものを施す者、

またアラーがあなた（ムハンマド）に啓示したもの、またあなた以前の預言者たちに啓示したものを信じ、また来世を堅く信じる者たちである。

これらの者は、主から導かれた者であり、また至上の幸福を成就《じょうじゅ》する者である。

本当に信仰を拒否する者は、あなたが警告しても、また警告しなくても同じで、頑固《がんこ》に信じようとはしないであろう。

アラーは、かれら「不敬の者」の心も耳をも封じられる。また目には覆《おお》いをされ、重い懲罰を科せられよう。

また人びとの中《うち》には「わたしたちはアラーを信じ、最後の審判の日を信じる」と［口先だけで］言う者がある。だがかれらは信者ではない。

かれらはアラーと信仰する者たちを、欺《あざむ》こうとしている。

実際は自分を欺いているのに過ぎないのだが、かれらはそれに気付かない。

かれらの心には病が宿っている。アラーは、その病を重くする。

この偽りのために、かれらには手痛い懲罰が下されよう〟

（第二章〈雌牛〉第一〜一〇節）

といった塩梅《あんばい》である。多少の註釈がないと理解はむつかしい……かもしれない。

第一行目〝慈悲あまねく慈愛深きアラーの御名において〟は、先にも触れたようにコーラン各章の第一行目、決まり文句である。イスラム教徒はこの一行を唱えることにより信仰への精神集中を計るのだとか。

アリフ・ラーム・ミームは、アルファベットのA・L・Mに当たるアラビア語文字の読みである。この三つの文字の組合わせがなにを意味するのか、多くの研究にもかかわらず、いまだにわからない。これもコーランの各章の初めに繁《しげ》く記されているが、なにかしらありがたいおまじないみたいなもの、と理解しておこう。

さて、コーランは神の言葉を記したものである。人間マホメット〔正しくはムハンマド〕の言葉ではない。信じようと信じまいとアラーの啓示がマホメットに宿り、それがマホメットの口から語られて、後に記録されたものである。それゆえに人間が考えた哲学ではなく、神自身の言葉なのだ。二八六節からなる長い、長い〈雌牛〉の章を読んでいると、

――ずいぶんと長い啓示だなあ。よく覚えられたものだ――

と感心したくなるけれど、一度に全部が天下ったわけではないらしいし、いずれにせよ、そこがそれ、選ばれた人間マホメットとアラーとの幽遠なる関わりなのだ。アリフ・ラーム・ミームに継いで〝これこそは、疑いの余地のない啓典である〟としているのは、このコーランこそが絶対無誤の啓示の書であることを宣言している。だからコーランさえ信じていれば、すべて私たちの人生、運命は来世までつつがなく大丈夫、というロジックである。

が、ちょっとわかりにくいのは四節目〝またあなた以前の預言者たちに啓示したものを信じ〟ている人々をよしとしているくだりだろう。予備知識がないと、真意が捉《つか》みにくい。〝あなた以前に啓示したもの〟とは端的に言えばユダヤ教の聖典、そしてキリスト教の聖書のことだ。

キリスト教に旧・新二つの聖書があることは、たいていの人が知っている。神と人との古い契約が旧約聖書であり、その導きの中からイエス・キリストが現われ、神との新しい契約を明らかにした。それを伝え記したのが新約聖書である。旧約聖書と新約聖書は上下二巻の本のようなものであり、キリスト教徒はどちらかと言えば、

——下巻のほうを重視しているみたい——

という事情である。

因《ちな》みに言えば、シティ・ホテルの枕頭《ちんとう》にはたいてい聖書が一冊置かれていて、目次を覗《のぞ》くと一冊の中に上巻と下巻が、つまり旧約聖書と新約聖書が収められているのがひとめでわかる。

キリスト教の基《もとい》となったユダヤ教にも、もちろん聖典が実在している。この宗教は布教にあまり熱心ではないから、日本にいてユダヤ教の聖典を入手するのは結構むつかしいところがあるけれど、内容的にはいま述べたキリスト教の旧約聖書とよく似ている。主要な部分は同一であり、ただ各部分の配列が異なっているだけ、と考えて遠からず。そのためユダヤ教の聖典を云々《うんぬん》するとき、手近にある旧約聖書を利用し、旧約聖書を引きあいに出すことが多いのは事実だが、本来はべつものである。このエッセイでは、ユダヤ教の聖典はユダヤ教の聖典と記し、旧約聖書とは一応区別して記そ

う と考えている。

視点を変え歴史的な鳥瞰《ちょうかん》を示せば、まず西暦以前〔諸説はあるが西暦前六世紀ごろ〕にユダヤ教が確立し、神との契約を交わして聖典を顕《あら》わし、その中でやがてこの世界に傑出した救世者が現われることを予言した。それに応《こた》えて、一世紀の初頭、

「はい、来ましたよ」

ヨルダン川のほとりに現われた救世者がイエス・キリストであり、ここにキリスト教が誕生する。新興勢力はユダヤ教の教えを神との古い契約と見なして旧約聖書とし、神との新しい契約を結んで、それが新約聖書の教えとなった。

しかし、ユダヤ教のほうは、イエスをして永年待ち望んだ特別な救世者とは認めなかった。キリストの言葉を聞かされても、

「ナザレ人《びと》のイエス？　何者だ？」

であり、当然のことながらイエスの教えを綴《つづ》った新約聖書なんか、ナンジャラホイ、価値を認めなかった。本来のユダヤ教の聖典だけがユダヤ教徒にとって尊いものであった。

だから旧約聖書・新約聖書という呼び方自体がキリスト教的な呼称であり、ユダヤ

教徒には旧はあっても新はない。旧約聖書とよく似た本来の聖典だけで充分なのである。

そして、さらにイエスより六百年ほど後れてマホメットが現われ、「われこそが最後の、そしてもっとも卓越した預言者。神の言葉はここにおいて完成される」

と宣言した。その教えがイスラム教であることは言うまでもあるまい。平たく言えば、

「雷電も双葉山《ふたばやま》も大鵬《たいほう》もみんな強かったろうけど、私がいっちゃん強い本当の大横綱なのよ」

と名乗りをあげたようなものである。

ジョークはともかく、ユダヤ教もキリスト教も同じ唯一神《ゆいいつしん》を仰ぎ、これまでにも神の言葉を伝える啓典〔ユダヤ教の聖典や旧・新約聖書〕がくだされ、数多くの預言者〔モーセやイエスなど〕がこの世に送られて来たが、人々の胸にまだ充分に神の教えが届いたとは言えない。いよいよ最後にマホメットが現われ、もっとも充実した教典であるコーランがつかわされた、と、これがイスラム教側の見方である。コーランはユダヤ教の聖典や旧・新約聖書との関わりが深い。とりわけ旧約聖書の記述から強

く影響を受けていると思われる部分が随所にあるけれど、イスラム教の立場としては、

「そりゃ、同じ神様の教えなんだから、似ていて当然だよな」

である。ユダヤ教の神ヤハウェと、キリスト教に繋く現われる主《しゅ》も、名を変え、場所を変えて現われたアラー、と見ているわけだ。

一方、ユダヤ教側やキリスト教側からすれば、

「なにを後から来て、いいとこ取りをやりやがって」

と鼻白むのも……私はどっちに贔屓《ひいき》する立場でもないけれど、無理からぬ事情、と言ってよいところもある。

しかし、コーランがイスラム教の立場であることは当然すぎるほど当然のこと。ずいぶんと寄り道をしたけれど、コーラン第二章〈雌牛〉の冒頭第四節で〝またあなた以前の預言者たちに啓示したものを信じ〟ている人々をよしとしているのは、こんな歴史的事情を反映している。マホメットは……いや、アラーは根源的にユダヤ教もキリスト教も認めているのだ。仏教徒とちがって相互の結婚をも認めている仲間同士なのだ。現在の諍《いさか》いは近親憎悪《ぞうお》と見えないでもないが、マホメット流に言えば、

「教典も先祖もみんなりっぱなのに、このごろの連中が教えを破って、ひったるんで

いるから、いかん」

だから争わなければならない、なのである。

以上を踏まえたうえで、先に引用した〈雌牛〉の冒頭十節を、私なりにやさしく考えれば、

〃慈悲深いアラーの御名《みな》において。アリフ・ラーム・ミーム。コーランこそが疑いのない、本物の啓典である。コーランを信じ、ユダヤ教やキリスト教のよき啓示を信じ、来世を信じる者たちに幸いあれ。一方、これを拒否する者たちは口先でなんと言おうと、ペケ。マホメットがどう警告しても、また警告しなくても、どの道駄目な奴等《やつら》なのだ。心が病んでいるから、どうしようもない。アラーの厳しい懲罰を受け、地獄へ堕《お》ちるがよいぞ〃

くらいだろうか。

もう少し〈雌牛〉から引用して、ながめてみよう。

〃アラーは言った。「アーダムよ、あなたとあなたの妻とはこの園に住み、何処《どこ》でも望む所で、思う存分食べなさい。

だが、この木に近付いてはならない。不義を働く者となるであろうから」

ところが悪魔（シャイターン）は、二人を躓《つまず》かせ、かれらが置かれていた幸福な場所から離れさせた。

アラーは、「あなたがたは落ちて行け。あなたがたは、互いに敵である。地上には、あなたがたのために住まいと、仮初《かりそめ》の生活の生計があろう」と言った。

その後、アーダムは、アラーから御《み》言葉を授かり、アラーはかれの悔悟を許された。

本当にアラーは、寛大に許される慈悲深い御方であられる。

アラーは言った。「あなたがたは皆ここから落ちて行け。やがてあなたがたに必ずアラーの導きが恵まれよう。

そしてアラーの導きに従う者は、恐れもなく憂《うれ》いもないであろう。

だが信仰を拒否し、アラーの印《しるし》を嘘《うそ》呼ばわりする者は、業火《ごうか》の住人であって、永遠にその中に住むであろう」〃

（第二章〈雌牛〉第三五〜三九節）

とあって、キリスト教に関心の薄い人でも、

――これ、聞いたことあるなあ。そう、アダムとイブ。蛇に唆《そそのか》されてリンゴの実を食べて、そのあとイチジクの葉っぱであそこを隠したりするんだ――

と気づくにちがいない。名画や漫画などでもなじみが深い。

ついでにもう一つ。


〃そしてアラーがあなたがたをフィルアウンの一族から救った時を思い起せ。かれらはあなたがたを重い刑に服させ、あなたがたの男児を殺し、女児を生かして置いた。

それはあなたがたの主からの厳しい試練であった。

またアラーがあなたがたのために海を分けて、あなたがたを救い、あなたがたが見ている前で、フィルアウンの一族を溺《おぼ》れさせた時のことを思い起せ。

また、アラーが四十夜にわたり、ムーサーと約束を結んだ時のこと。

その時あなたがたはアラーのいない間に仔牛《こうし》を神として拝し、不義を行った。

それでも、その後アラーはあなたがたを許した。必ずあなたがたは感謝するで

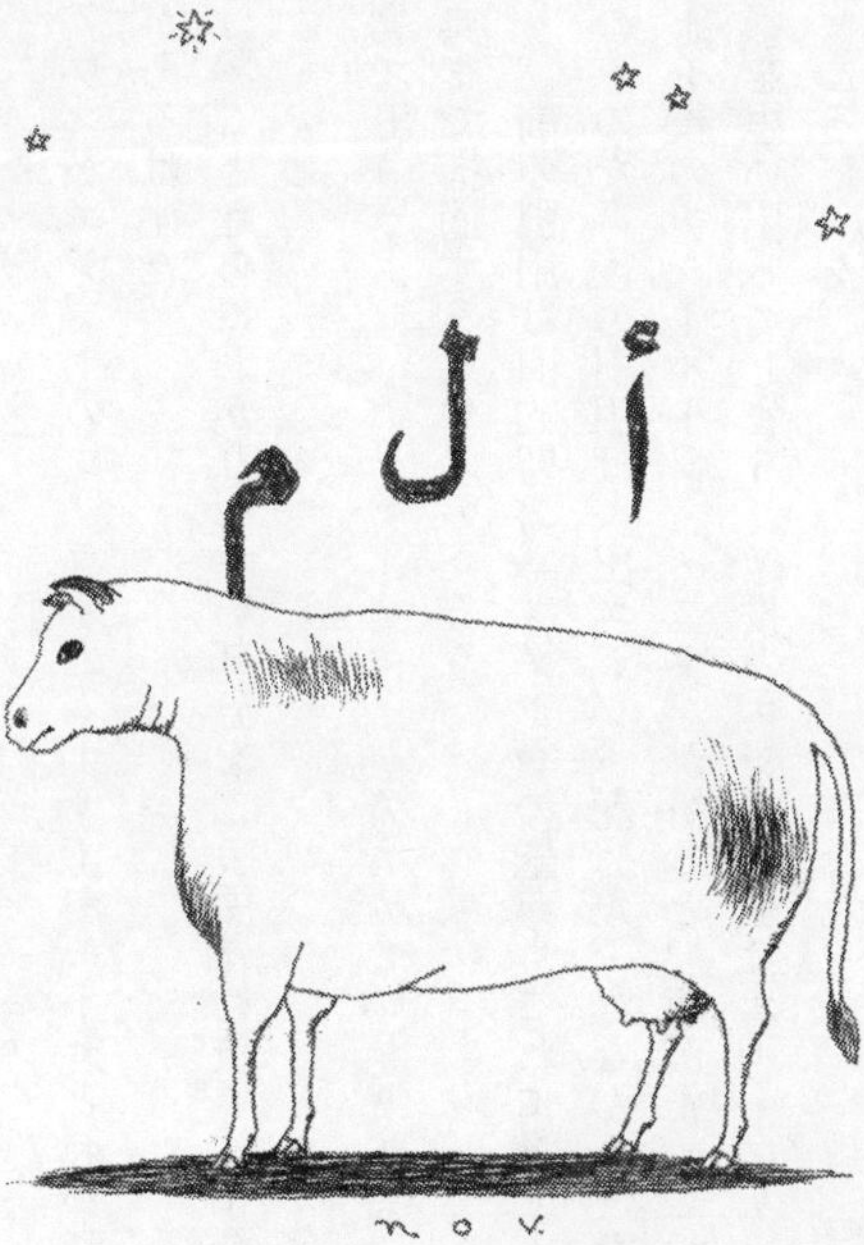
أ ل م
n o v.

あろう〃

（第二章〈雌牛〉第四九～五二節）

フィルアウンがエジプトのファラオ、ムーサーがモーセとわかれば、これも思い浮かぶことがあるはずだ。

ここでは、ことさらにわかりやすい部分を二カ所だけ抜いて紹介したのだが、一読して、

「旧約聖書でしょ」

と、出典まで指摘する人も多いだろう。

その通り。前の引用は旧約聖書［ユダヤ教の聖典もこれに準ずる。以下同］の〈創世記〉そのものだ。後の引用は〈出エジプト記〉だ。私なんかパラマウント映画〈十戒〉でモーセ役のチャールトン・ヘストンが祈ると、海がまっ二つに割れた、みごとな特殊撮影を思い出してしまう。敵役のエジプト王はユル・ブリンナーで、これも印象的な役どころだった。

コーランを実際に読んでみればすぐにわかることだが、先立つ聖典と共通する話はとても多い。とりわけ旧約聖書。だが、お立ちあい、よく似ているけれど、微妙にち

がっているケースもあって、これが悩ましい。同じ唯一神であり、旧約ではヤハウェと呼ばれ、コーランではアラーと呼ばれ、アラーのほうがより偉大な呼び名であるとするのがイスラム教の考え方だから、よく似た話があるのは当然としても、微妙にちがうときは、

――コーラン風のヴァリエーションかな――

と思わないでもない。

楽園のアダムについては、旧約聖書はストーリー性豊かに語り、アダムが神の掟《おきて》に叛《そむ》いて罪を犯したことに力点が置かれている。人間の原罪が明らかにされている。これに対してコーランのほうは楽園の事件は要点だけを記してほのめかし、むしろアダムの悔悟を知って、それを許したアラーの寛大さのほうが強調されている。

モーセの項では、コーランにある〝アラーが四十夜にわたり、ムーサーと約束を結んだ時のこと〟は〔常識的には〕二、三行の記述で軽くすまされてよい出来事ではなく、この四十夜のあいだにモーセはシナイ山に登り十戒を受けているのだ。モーセの所業はコーランの中でも充分に尊敬されているけれど十戒という言葉そのものはとんと現われない。

――なぜかな――

ユダヤ教的表現を避けたのだろうか。悩ましいところだが、これについては後でもう少しくわしく述べる機会があるだろう。それよりも〈雌牛〉の中にせっかくモーセ［ムーサー］が登場したのだから、ここではなぜこの章が〈雌牛〉なのか、モーセとの関わりを……根拠となる数節を引用して示しておこう。コーランはモーセと、モーセに同行した愚かな人々との争論をこう述べている。（［ ］は筆者注・以下同）

〃またムーサーが、その民に告げてこう言った時を思い起せ。「アラーは、一頭の雌牛を犠牲に供えることをあなたがたに命じられる」人々は言った。「あなたは、わたしたちを愚弄《ぐろう》するのか」ムーサーは祈った。「アラーよ、わたしを御救い下さい。愚か者の仲間にならないように」

人々は言った。「あなたの主に御願いして、それがどんな牛か、わたしたちにはっきりさせて下さい」

ムーサーは言った。「アラーは仰《おお》せられる、その雌牛は老い過ぎずまた若過ぎない。

その間の程良い雌牛である。さああなたがたが命じられたことを実行しなさい」

人々は言った。「あなたの主に御願いして、それが何色であるのか、わたしたちにはっきりさせて下さい」

ムーサーは言った。「アラーは仰せられる、それは黄金色の雌牛で、その色合は鮮かで、見る者を喜ばせるものである」

人々は言った。「あなたの主に御願いして、それはどんな牛か、わたしたちにはっきりさせて下さい。単に雌牛では、わたしたちにはどうも同じに思える。もしアラーが御望みなら、わたしたちはきっと正しく導いて頂けよう」

ムーサーは答えて言った。「アラーは仰せられる、それは土地の耕作にも、また畑の灌漑《かんがい》にも使われない、完全な無傷の雌牛だ」

人々は言った。「あなたは今やっと、真実を伝えてくれた」人々は犠牲を捧《ささ》げるのを引き延ばしていたが、最後にはそれを余儀なくされた。

また、あなたがたが一人の人間を殺し、それがもとで互いに争った時のことを思い起せ。

だがアラーは、あなたがたが隠していたことを、暴《あば》かれた。

アラーは「その雌牛の肉の一片でかれを打て」と言った。こうしてアラーは死者を甦《よみがえ》らせ、

その印をあなたがたに示される。必ずあなたがたは悟るであろう〃

（第二章〈雌牛〉第六七～七三節）

とあって〈雌牛〉の章に雌牛が登場するのはこれくらいのもの。この章全体が五十ページを越えることを思えば、いかにも短い。章のタイトルとして私が〈雌牛〉に違和感を覚えた理由もおわかりいただけるだろう。

が、もちろん、短いけれど相当に重要なことが暗示されているのも事実である。神についての考え方の中には……神の御心は人間には到底推《はか》り知れない。しかし、神なのだからみんな深い考えがあってのこと。人間が不満を覚えて問いただしたり反抗したりするなんて、トンデモナイ。神の求めにすなおに従うのが正しい信仰であり、疑念を抱いてはいけない。一番わるいのは従うふりをして、その実、逆っているケース。神はすべてお見通しで、けっしてこの背信を許さない。ユダヤ教にもキリスト教にも基本としてこの考え方が厳存しているが、イスラム教もまた変わりがない。アラーの神が一頭の雌牛を求めたならば、人間はつべこべ言わずに、それをいけにえとしてささげればよいのである。なんだかんだと質問をして引き延ばしにしているのは著しい瀆神《とくしん》行為である。かならずや神の知るところとなり罰せられるぞ、と、いま引用した雌牛のエピソードは述べているのだ。わかりにくいところもあるが、これはこれでコーランの重要思想であると言ってよい。

話は少しややこしくなるけれど、雌牛のエピソードは旧約聖書の次の二カ所と対応している（新共同訳・日本聖書協会刊より・以下同）。

〝主《しゅ》はモーセとアロンに仰せになった。

主の命じる教えの規定は次のとおりである。

イスラエルの人々に告げて、まだ背に軛《くびき》を負ったことがなく、無傷で、欠陥のない赤毛の雌牛を連れて来させなさい。それを祭司エルアザルに引き渡し、宿営の外に引き出して彼の前で屠《ほふ》る。祭司エルアザルは、指でその血を取って、それを七度、臨在の幕屋の正面に向かって振りまく。そして、彼の目の前でその雌牛を焼く。皮も肉も血も胃の中身も共に焼かねばならない。祭司は、杉の枝、ヒソプ、緋糸《ひいと》を取って、雌牛を焼いている火の中に投げ込む。祭司は自分の衣服を洗い、体に水を浴びた後、宿営に入ることができる。しかし、祭司は夕方まで汚《けが》れている。雌牛を焼いた者も、自分の衣服を水洗いし、体に水を浴びる。彼は夕方まで汚れている。それから、身の清い人が雌牛の灰を集め、宿営の外の清い所に置く。それは、イスラエルの人々の共同体のために罪を清める水を作るために保存される〟

（民数記第一九章・一〜九）

〝殺されて野に倒れている人が発見され、その犯人がだれか分からないならば、長老および裁判人たちが現場に赴き、その死体から周囲の町々への距離を測らねばならない。死体に最も近い町の長老たちは、労役に使われたことのない雌牛、すなわち軛を負わされたことのない若い雌牛を選び、長老たちは、その雌牛を水の尽きることのない川の、耕したことも種を蒔《ま》いたこともない岸辺に連れて行き、その川で雌牛の首を折らねばならない。それから、レビの子孫である祭司たちが進み出る。あなたの神、主が御自分に仕えさせ、また主の御名《みな》によって祝福を与えるために、お選びになったのは彼らであり、争いごとや傷害事件は、すべて彼らの指示に従わねばならないのである。死体に最も近い町の長老たちは皆、川で首を折られた雌牛の上で手を洗い、証言して言わねばならない。「我々の手はこの流血事件とかかわりがなく、目は何も見ていません。主よ、あなたが救い出されたあなたの民、イスラエルの罪を贖《あがな》い、あなたの民、イスラエルのうちに罪なき者の血を流した罪をとどめないでください」こうして、彼らの血を流した罪は贖われる。あなたは主が正しいと見なされることを行うなら、罪なき者の血を流した罪を取り除くことができる〟

（申命記第二一章・一〜九）

つまり前の〈民数記〉の記述では旧約聖書の英雄モーセと、その兄アロンに対して神が〝完全な雌牛のいけにえが罪を清めるために役立つ〟ことを伝えている。その手続きをこまめに教えている。なぜ役立つのか、なぜそんな手続きが必要なのかは、人間の問うところではない。すなおに従えばよいのである。

また後の〈申命記〉の記述では、完全な雌牛がいけにえとして殺人事件のときに役立つことを告げている。

「長老さま、大変です。町はずれで人が殺されてます。だれが犯人かわかりません」

「さようか。では、完全な雌牛を連れて来なさい」

川のほとりで雌牛の首を折り、そこで手を洗い、それで犯人がわかるかどうかはともかく、この方法により忌《いま》わしい事件の余波が……神の怒りが一族には及ばない、よかった、よかった、なのである。

話をコーランの雌牛に戻せば……ここではアラーの神がムーサーに完全な雌牛をいけにえとして求めたこと、そして、もう一つ、そんな雌牛の肉で〔殺された〕人を打つと、その人が甦り、犯人がわかった、と、二つの故事を挙げて、人々が神に対してどこまでも敬虔《けいけん》であるよう諭している。

コーランのほうに記されている二つの故事は、いま挙げた旧約聖書の引用と共通しているところもあるが、話のポイントが少しずれているような気がする。ディテールも欠いている。コーランは昔の出来事について旧約聖書などの記述をふまえ、それを利用して述べている、と見えるけれど、マホメットの立場で言えば、

「とんでもない。それはぜんぜんちがう。旧約聖書にどう書いてあっても、本当のところはコーランに書いてあるほうが正しい。アラーはすべてをお見通しで、一番正しいことを私に啓示されたのだから」

であろう。

このあたりをよく理解しないと、コーランは読み進めない。些事《さじ》ではあろうが、アラーの教えは旧約聖書ほどストーリー性に富んでいないこともまた確かである。

コーランに先立つ二つの聖典、旧約聖書と新約聖書について、私見を述べれば、旧

約聖書は古代ユダヤ王国の建国史として読むことができる。新約聖書はイエス・キリストの伝記として読むことができる。もちろん、どちらも神の教えを伝えるやんごとない聖典であるのは重々承知しているけれど、記述の方法は……中核となる部分の記述について言えば、旧約聖書はこの世の誕生から始まり、アダムとイブ、ノアの箱舟、モーセのエジプト脱出、旧王国の建設、ダビデとソロモンの栄え、多くの預言者たち、などなど時代を追ってユダヤ民族の歴史を教えてくれる。新約聖書は、イエス・キリストについて、マタイ、マルコ、ルカ、ヨハネが、中身の神性とはべつに記述の方法としては伝記を綴《つづ》っている、と見ることができる。

――じゃあ、コーランは、どうだろう――

コーランの記述は、なにに似ているのだろうか。歴史ではない。伝記でもない。もちろん論文ではない。テーマを掲げ、推論をして結論を導く、という叙述ではない。

あえて言えば……率直な感想を述べれば、

――親父《おやじ》の説教に似ているなあ――

まあ、まあ、まあ、内容のことではなく、論述の方法において、である。しかも、これは経験豊富で、知識も広い、偉い、偉い親父の場合である。そこいらへんにいる、ただの親父に似ていると言うのではない。なにしろ相手は神なのだから……。

昨今の日本では、そういう偉い親父は滅多に見られなくなってしまったけれど、昔は、数こそ少ないが、いないでもなかった。家族の上に厳然と君臨し、本当の英知を授けてくれる偉い親父が実在していた。こっちが子どもであったときは、

――また説教か――

と思っても、後になって、

――親父の言ってたこと、正しかったなあ――

と感銘する。〝親の意見と冷酒はあとになって効く〟のである。

だが、そういう偉い親父でも、説教というものはあまり論理的ではない。いきなりドカンと降って来る。事実の誤認もあるし牽強付会《けんきょうふかい》もある。断片的な言いようが多いから、前後の事情を知らないとわかりにくい。たとえば結婚の相談をしているのに、

「ばか。お前はいつもそうなんだ。大学受験のときもそうだった。あとになって後悔する」

相談のポイントがなんなのか、今度の結婚と、前の大学受験と、どこで共通しているのか、第三者には事情がわからないから、親父の怒る理由がのみ込めない。仕方なしに、

――後悔って、たいていあとになってするものだよなあ――

などと、挙げ足取りのような思案をめぐらしているよりほかにない。

そして、もっとも顕著な特色は、親父の説教は、つねに、くどい。同じことを何度も言う。何度言われてもばか息子がわからないから、親父のほうもついつい何度も言ってしまうのだろうけれど、とにかく、くどくて、

「わかったよ、いつも同じこと」

「わかってないから言うんだ」

くり返されるのが特色であることは疑いない。

コーランは、その内容の崇高さはおくとして、普通の脳みそで読む限り、けっして論理的な記述ではない。話がポンポンと飛ぶ。推論を重ねて結論へ導くというタイプではない。断片的に恣意《しい》的に、いろいろなトピックスが交錯する。コーランが伝えられたところの社会情勢や風俗習慣を知らないと、とても理解が届かないところもある。

そしてご多分に漏れず……ちょっとくどい。同じ忠告が何度も何度もくり返される。おそらく何度言われても、いっこうに承知しない人がたくさんいたからだろう。また場所を変え、時を変え、いろいろなところでくだった啓示をいろいろな人に伝えた、という事情もあったろう。どんなに偉い親父でも、アラーの神を親父に比定しては不敬の誹《そし》りをまぬかれまいけれど、お許しあれ、コーランに散見されるくり返しは頑固

親父を髣髴《ほうふつ》させる。読み進みながら親父の説教をふと思い出さずにはいられない。何度くり返して言われても、それに従わない愚かさに思いを馳《は》せてしまう。

その代表を……何度もコーランの中で語られる説諭の典型を、最後の審判とそれに続く来世の風景に拾ってみれば……これは〈雌牛〉ではなく第四章〈婦人〉、第六章〈家畜〉、第三九章〈集団〉の各章からの引用である。

〃本当にアラーの印を信じない者は、やがて火獄に投げ込まれよう。かれらの皮膚が焼け尽きる度《たび》に、アラーは他の皮膚でこれに替え、かれらに飽くまで懲罰を味わわせるであろう。誠にアラーは偉力ならびなく英明であられる。

だが信仰して善い行いに励む者には、アラーは川が下を流れる楽園に入らせ、永遠にその中に住まわせよう。そこでかれらは、純潔な配偶を持ち、アラーは涼しい影にかれらを入らせるであろう〃

（第四章〈婦人〉第五六〜五七節）

と、地獄と楽園の姿をほのめかしている。そして、また、

〝あなたがもし、かれらが火獄の前に立たされる姿を見たらどうであろう。その時かれらは言う。「ああ、わたしたちがもし送り帰されるならば、決して主の印を拒否しないで、必ず信仰するでしょうに」

いや、かれらが今まで隠していた〔見ないでいた〕ものが、今、自分たちの前に明らかになったに過ぎない。それでかれらがたとえふたたび〔地上に〕戻されても、かれらは必ず禁じられたことを繰り返すであろう。かれらは本当に虚言の徒である〟

（第六章〈家畜〉第二七～二八節）

このくだりは、地獄を見て後悔しても遅い、たとえもう一度現世に戻されても駄目なやつはどうせ同じことをくり返すだけ、と戒めている。さらにくり返して、

〝審判の日、あなたはアラーに対し虚偽を語った者たちを見よう。かれらの顔は

黒く変るであろう。

地獄には、高慢な者の住まいがないと言うのか。

だがアラーは、主を畏《おそ》れた者を安泰な場所に救う。

かれらは災厄に会うこともなく、憂いもない。

アラーは、凡《すべ》てのものの創造者であり、また凡てのものの管理者である。

天と地の鍵《かぎ》はアラーの有《もの》である。

アラーの印を拒否した者こそ失敗者である。(中略)〃

〃人びとは、その行ったことに対して、十分に報いられよう。アラーは、かれらの行った凡てを最もよく知っておられる。

不信者は集団をなして地獄に駆られ、かれらがそこに到着すると、地獄の諸門は開かれる。そして門番が言う。「あなたがたのもとに使徒は来なかったのですか。そして主からの印をあなたがたのために読誦《どくじゅ》し、またあなたがたのこの審判の日のことを警告しなかったのですか」

かれらは答えて言う。「その通りです。そして不信者に対する懲罰の言葉が、真に証明されました」

門番は「あなたがたは地獄の門を入れ。その中に永遠に住みなさい」と言うだろう。

何と哀れなことよ、高慢な者の住まいは。

またアラーを畏れたものは、集団をなして楽園に駆られる。かれらがそこに到着した時、楽園の諸門は開かれる。そしてその門番は、「あなたがたに平安あれ、あなたがたは立派であった。ここに御入りなさい。永遠の住まいです」と言う。

かれらは感謝して言う。「アラーに讃《たた》えあれ。アラーはわたしたちへの約束を果たし、わたしたちに大地を継がせ、この楽園の中では、好きな処《ところ》に住まわせて下さいます」何と結構なことよ、善行に勤《いそ》しんだ者への報奨は。

あなたは見るであろう、天使たちが八方から玉座を囲んで、主を讃えて唱念するのを。人びとの間は公正に裁かれ、「万有の主、アラーにこそ凡ての称讃《しょうさん》あれ」と言う言葉が唱えられる〃

（第三九章〈集団〉第六〇〜六三節、第七〇〜七五節）

断片的な引用になってしまったが、いかがだろうか。

これ以外にも類似の戒めはあちこちに散っている。くり返して最後の審判の実在していることを伝えている。そしてアラーは絶対に見逃さない。見あやまらない。この世の善悪はみんな神の帳簿に記入されているのだ。それにより楽園行き、地獄行きに分けられる。楽園はおだやかな気候、きれいな水が流れ、果実がたわわに実っている。美しい乙女が奉仕してくれる。地獄のほうは未来永劫《えいごう》にわたって業火《ごうか》に焼かれる。その苦しさはただごとではない。最後の審判はユダヤ教にもキリスト教にもあるが、コーランの賞罰はひときわ克明に、顕著に綴られている。地獄極楽は仏教徒にもおなじみな風景だが、コーランの場合、善悪の分かれめは唯一神《ゆいいっしん》なるアラーを信じたかどうか、そこにかかっている。この一点に絞られている。アラーを信じ、コーランを信じ、その教えのままに清く生きたかどうか、それだけが基準となる。

それにしても往時の社会情況や風俗習慣を知らないとコーランの説諭はわかりにくい。前後に矛盾がないでもなく、それはコーランが二十余年の年月をかけてマホメットに下った啓示であることとも関わっているだろう。だからこそマホメットがどんな時代に生き、どんな生涯を送ったか、コーランの理解には、この知識が欠かせない。

# ❷ 象の年に生まれて

おそれながら……酒場の一郭。中年の客がママに向かって、

「ママ、いつも若いね。正直なとこ、いくつになったの？」

ママが眉根《まゆね》を寄せ、

「厭《いや》ねえ。知らないの？　虎《とら》の年よ」

「へえー、六二年か。なるほど」

と頷《うなず》く。よく見る風景だ。

現代社会では生年月日は明白である。嘘《うそ》をつかないかぎり紛れようもない。だが、古い時代は必ずしもそうではなかった。暦年のはっきりとしない時代や文化がないでもなかった。

イスラム教の始祖マホメットについても、

「たしか象の年だったなあ」

「うん。象の軍団が押し寄せて来てさァ、あのときだよ、お生まれになったのは」

という証言があって、これは……六世紀に入って現在のイエメンのあたりにエチオピアの支配が伸びていた。その国の王が戦象を駈《か》って北上し、メッカを襲ったことがあったのである。住民はさんざんなめにあい、象の年として記憶されたが、マホメットの生まれたのが、このとき……。ところが、その進攻がいつだったのか、諸説があ

って、一番有力なのが西暦五七〇年のこと。よってもってこれがマホメットの生誕年と推定されているが、絶対のものではない。誕生の月日についてはさらにわからない。マホメットが生まれたとき父はすでに亡《な》かった。商用でメディナに出かけ、旅先で客死していた。懐妊中の母は、

「やがて生まれる子は民族の支配者となり、預言者となる」

と、何度か幻の声を聞いたとか……。あるいは、出生のときに不思議な光が東から西へと輝きわたり、母は光の中に遠いシリアの神殿や駱駝《らくだ》の群を見たとか、いくつかのエピソードが伝えられているが、根拠は薄い。

またそれから数年たった、ある日、砂漠の中の町ブスラでキリスト教の修道士がアラビア人の隊商を会食に招いたことがあった。この修道士が隊商のメンバーに、

「全員漏れなく皆さんでお越しください」

と、ことさらに〝皆さん〟を強調したのは、彼は隠者から予言を受けていて、この隊商の中にひときわ優れた人物が含まれていることを知っていたから。

しかし、会食に集まったアラビア人の中にそれらしい人が見当たらない。

――変だな――

修道士が視線を伸ばすと、少年が一人、隊商の駱駝の番をしている。

「あの子もここへ呼んでください」

呼び寄せてみると、果たせるかな、その少年の肩には預言者を示す印があった。これが少年マホメットであり、修道士は少年の保護者である男に、

「大切に育ててください。ユダヤ人には気をつけてね。危害を加えられるかもしれませんから。この少年はかならず偉大な人物になりますよ」

と懇切に伝えた、とか。

英雄の幼少期にまつわる伝承として軽く聞きおく程度の話だろうが、それでもこの話の中からほんの少し見えてくるものがある。

当時アラビア地方にはベドウィンの流れを汲《く》む部族社会が構成されていた。血縁を絆《きずな》とする大小さまざまな部族が割拠し、自分たちの掟《おきて》により一族を育《はぐく》み、隊商をくり出し、敵と戦っていた。

アラビア半島の中央部、紅海に近い町メッカには、古くから民衆の信仰を集める神殿があり、巡礼の目的地として、また通商の要路として栄えていたが、六世紀に入ってクライシュ部族なる巨大な部族がこの町の支配をもっぱらにしていた。

巨大な部族だから、その傘下《さんか》にいくつもの小部族がある。小部族はなんとか家《け》と呼ばれることが多かったが、このなんとか家同士がいつも円満な関係にあるとは言えな

い。クライシュ部族は全体として他の部族に対抗しながら、内部では小部族がいろいろな利害をめぐって睨《にら》みあい、争いあっていた。これに加えてユダヤ教徒の社会、キリスト教徒の社会なども点在し、勢力地図は離合集散をくり返して、すこぶる複雑であった。

マホメットの父は、このクライシュ部族に属し、さらに言えばクライシュ部族の中のハーシム家にあった。当然、一人息子のマホメットもこのハーシム家に属する。父を失ったマホメットは、父の父、祖父の庇護《ひご》のもとに母のいつくしみを受けて育ったが、六歳のときに母が他界し、八歳のときには祖父も死去する。仕方なく伯父アブー・ターリブのもとに身を寄せた。もちろんこの伯父もハーシム家である。ハーシム家はクライシュ部族の中にあって栄誉ある正統な血筋であったが、マホメットの幼少期には、大商人と結びついた他のグループの進出に圧倒され、むしろ主流派を離れた抵抗勢力に傾いていた。マホメットの後年の活動も、この抵抗精神と無縁ではあるまい。

当時こうした家々が人を集め資金を集め、隊商を組んで交易の旅に出るのが常套《じょうとう》的なビジネス活動であった。しかるべき年齢に達すれば男たちはたいていこの仕事を体験する。糊口《ここう》の道を得る大切な手段であったが、同時に盗賊や敵に襲われる危険もまれではなかった。

マホメットは十二歳のときに伯父のアブー・ターリブに連れられてシリアへの旅に参加している。一回こっきりではあるまい。いま述べたキリスト教の修道士の予言も、こうした旅に因《ちな》んだものだったろう。今でもサウジアラビアからシリア、ヨルダンに向かう街道筋の古邑《こゆう》アル・ウラーの旧市街を訪ねると、

「はい、ここがマホメットがお通りになった道です」

と、土地の古老が昨日の出来事のように話してくれる。付近にもゆかりの地が散っているようだ。

両親を失い、祖父の後見をもなくし、孤児に近い立場で伯父のもとに身を寄せたマホメットが十二、三歳の若さで隊商に加わり、駱駝の番をするような端役《はやく》を割り当てられたのも充分に頷ける。おそらくこの時期の辛《つら》さを反映したのだろう。マホメットは生涯を通して孤児への配慮を主張する人であった。

由緒《ゆいしょ》ある家の跡継ぎ息子ならともかく、ろくな後見を持たない若者は、まずこの隊商など大がかりなビジネスで頭角を現わさなければ行く末はおぼつかない。隊商のメンバーは資産家から資産を預かり、それを遠方へ運んで利益をあげる、という形をとるケースが多く、かならずしも自分の資産だけで商売をやるわけではなかった。こう

いう事情であれば、隊商のメンバーは、資産家に信頼されるだけの人柄と才覚を持たなければいけない。

駱駝番から隊商に加わったマホメットは次第にこの仕事に熟達し、やがて有能な商人となったようだ。人柄も誠実で、諸事にわたって卓越した才能を発揮した。見る人の目には、

——この若者、ただものではないぞ——

と映るところがあったにちがいない。マホメットの前半生は不明ばかりが目立つのだが、後半生のくさぐさから判断して、若くしてすでに凡庸な人格ではなかっただろう。

メッカの町にハディージャという裕福な未亡人がいた。死別した夫が資産家で、彼女にはたくさんの財産が残されていた。

このハディージャがマホメットに目を留め、マホメットの隊商に資金を提供した。そればかりか、この折衝を通してマホメットの人柄に心を打たれ、彼女のほうから結婚を申し込む。財産を持たない若者には、ありがたい話だ。こうしてマホメットは二十五歳のときに、十五歳年上のハディージャと結ばれる。ハディージャはもう少し若かった、という説もあるが、これも定かではない。

話は先走るが、マホメットは生涯に数人の妻を娶《めと》り、女性関係は華やかであったけれど、ハディージャと死別するまでの二十数年間は「アラビアの習慣によくあるように」第二、第三の妻を迎えるようなことはしなかった。ハディージャから受けた恩義と愛を尊重して叛《そむ》くことがなかった。二人のあいだに三男四女が誕生したが、男子はみな夭逝《ようせい》、女子の中では末娘のファーティマだけを記憶に残しておけば充分だろう。ハディージャと結婚したマホメットは、しばらくは平穏で、格別な出来事もない日々を送っていたようだ。

そして四十歳になったとき、さあ、これからが大変だ。姉さん女房の慈愛を受けてマホメットはつつがなく暮らしていたけれど、心の内奥《ないおう》には、平穏な生活とはちがった、もう一つ次元の高い煩悶《はんもん》がないでもなかった。自分でもよくわからないが、

――このまま生きて、死んで、それでどうなるのだろうか――

現代風に言えば、人間の実存に関わる問題であったかもしれない。そして六一〇年、ラマダーン月の夜にヒラー山の洞窟《どうくつ》でマホメットは初めてアラーの啓示を受ける。詳細は後に譲るとして「ここではマホメットの全生涯を略述したいので」要点だけを示せば、このときの啓示をコーランにこう記している。

〃読め、「創造なされる御方、あなたの主アラーの御名《みな》において。
一凝血から、人間を創《つく》られた」
読め、「あなたの主は、最高の尊貴《そんき》であられ、
筆によって書くことを教えられた御方。
人間に未知なることを教えられた御方である」〃

（第九六章〈凝血〉第一～五節）

ここでいう〃読め〃は〃唱えよ〃に近い。神が一滴の血から人間を創り、人間に書くことを始めとするいっさいの英知を与えた、この真理を高らかに唱えよ、ということだ。

これに続いて〔同じ夜かどうかはわからない〕マントにくるまったままでいるマホメットに、

〃大衣に包《くるま》る者よ、
立ち上って警告しなさい。

あなたの主を讃《たた》えなさい。
またあなたの衣を清潔に保ちなさい。
不浄を避《さ》けなさい。
見返りを期待して施してはならない。
あなたの主の道のために、耐え忍びなさい〟

（第七四章〈包る者〉第一〜七節）

と告げられたとか。心身を清く保って神をあがめ、神の警句を世に伝え、見返りを求めることなく神の道を広める苦悩に耐えるように、という啓示である。

全部で一一四章からなるコーランはどれが、いつ下された啓示か、順序はばらばらで、あとさきの判別がむつかしいのだが、後代の研究により少なくともいま挙げた二つが一番最初と二番目の、つまりもっとも早い時期の啓示であった、と言われている。

さすがのマホメットも、これだけでは深遠な意味を充分に理解できなかったようだ。

それよりもなによりもマホメットは驚いた。とんでもないことがわが身に起きた、と恐れた。

――悪霊《あくりよう》にとり憑《つ》かれたんじゃあるまいか――

と疑った。事の真相をいち早く見抜いたのは妻のハディージャだった。ハディージャは冷静だった。冷静であると言うより、とてつもない英知の持ち主であったと言うべきかもしれない。

「あなた、しっかりなさって。心配ないわ。神様のお言葉がくだったの。あなたにそれが伝えられたの」

「本当に？」

「まちがいありません。あなたはだれよりも優れたおかた。選ばれて神様の啓示を受けるにふさわしいおかたよ。さあ、しっかりと神様のお言葉を聞いて聖なる使命をまっとうしてください。私はあなたを信じます。あなたに従います」

くらいの会話だったろうか。

砂漠の民族は伝統的に神の意志を聞くことに慣れている。また断片的にせよユダヤ教、キリスト教の教えが浸透して神の啓示や預言者の存在を信じやすかった。

これを契機としてマホメットはしばしば神の啓示を知るようになる。生涯を終えるまで二十余年にわたりさまざまなときに、さまざまな場所で……。その記録がとりもなおさずコーランというわけだが、マホメットも初めから自分に下された啓示の本質をきっかりと悟ったわけではあるまい。とりわけ自分が預言者として……すなわち神の言葉を預かる者として、預かって民衆を導く者として選ばれたことを自覚するまでには、いくばくかの日時を必要としたことは疑いない。

——いったい、なにが起きたんだ——

われとわが身を疑い、ハディージャの説得と慰撫《いぶ》を受けて少しずつ出来事の意味を認識した。なによりも自分の意志とはかけ離れた次元から啓示がもたらされる。そのときの肉体的な圧迫は……体が締めつけられ、耳を打つほどの強い音を聞き、血がたぎり、玉の汗を吹き流すなど、まったくただごとではない。

——神の意志だ——

と感ずるにふさわしい。ほかのことを考えるのがむつかしい。

ハディージャの従弟《いとこ》にワラカという男がいた。ワラカは敬虔《けいけん》なキリスト教徒であり、マホメットとも親交が深かった。マホメットが自分の体験を神の啓示と信じ、この体験を、預言者としての召命に帰納させたのは、この方面からの影響であったのかもしれない。旧・新約聖書によれば、マホメットのような体験は古くから繁《しげ》く預言者に生起していたのだから……。

ともあれマホメットが受けた神秘を神に由来する啓示と考え、マホメットを預言者として認め、イスラム教［と後に称される教え］に最初に帰依《きえ》した人はハディージャであり、その次がアリー少年であった。アリーはマホメットが世話になった伯父アブー・ターリブの息子である。マホメットは先に隊商の旅で触れたように若いころこの伯父の庇護を受けたが、伯父が困窮したときには逆にその息子のアリーを引き取って面倒を見たりしていた。

次いでザイドが帰依した。ハディージャの奴隷《どれい》であり、マホメットに使われ、やがて解放され、その聡明《そうめい》さと性格のよさを買われて、マホメットの弟子となった男である。生涯を通しマホメットの片腕であり、十歳くらい年下だったろう。

そしてアブー・バクル。マホメットと同年代の親友で、すこぶる有能な人物であった。アブー・バクルはマホメットと親しかっただけではなく、多くの誠実な友人を持ち、この人たちにマホメットの教えを伝え、彼等はそれぞれ教団の確立に貢献している。因みに言えばマホメットの死後、後継者として第一代のカリフとなったのが、このアブー・バクルであり、曲折のすえ第四代のカリフとなったのが従弟のアリーで、彼はマホメットの愛娘《まなむすめ》ファーティマの夫でもあった。

話をもとに戻し、マホメットが召命を受けた直後の教団は、ハディージャ、アリー、ザイド、アブー・バクル……家族集団的であり、少しずつ輪を広げ、三年間で五十人くらいの人数を集める程度のものであったらしい。

集って来たのは、有力な家系に属しながら、

——この世の中、どっか狂ってる——

と不足を覚えている若者たち、それから解放された奴隷たち、こちらも若者が多く、出自はべつとして自由な意志と力とを備えた有為な人材たちであった。

話を現代の巷間《こうかん》に移して、

「神の啓示なんて、本当にあるんか？　信じられない。幻聴とちゃうか」

という意見は当然ありうるだろう。どちらかと言えば、私もこの立場である。こういう疑問を抱くこと自体が大変な瀆神《とくしん》行為であることはまちがいないけれど、疑いを持つほうにも一定の根拠がある。理屈で疑いを晴らすのはむつかしい。

と同時に、自分の良心と理性にかけて、

「私は神の啓示を聞いたんだ」

と告白する人に対して、

「そりゃ幻聴だよ」

はなから否定して断言するのも、いささか越権のような気もする。

世間には嘘《うそ》をつく人もいるだろう。理性の曇っている人もいるだろう。だが、その人の人柄と行動をつぶさに観察して、

——こりゃ、やっぱり彼は啓示を受けたんだ——

と思うことはないでもない。

古い話だが、私は新約聖書の中のパウロを見て、そう考えたことがある。パウロはキリスト教を弾圧するためにダマスカスに向かった。すると砂漠で死んだはずのイエスに会う。イエスの声を聞く。

「パウロよ、なぜ私を迫害するのか」

奇跡をまのあたりに体験してパウロは熱心なキリスト教徒となった。あまりにも有名なパウロの回心である。

「砂漠の熱気に当てられて、頭、おかしくなったんじゃないの」

幻視であり幻聴であったと想像するのはたやすいけれど、問題はそれ以後のパウロの行動だ。本当にただごとではない。ありとあらゆる苦難に耐えて彼はキリストの教えを伝え歩いた。とても人間技とは思えない労苦を自分に課しながら……。伝道の行程は歴史のひとこまであり、大筋は事実と見てよいことだ。すると、

——やっぱりパウロは砂漠でイエスを見たんだろうな——

神の顕在を信じたくなってしまう。

人間は他人を騙《だま》すことはできても自分を完全に騙すのはむつかしい。自分の体験は自分の中で生きている。理性的な人間なら、自分のことはことさらよく知っている。パウロはまちがいなく優れた理性の持ち主であり、そのパウロが生涯を通して命がけの布教に殉じえたのは、パウロの心の中に、

――自分はあそこでイエスの召命を受けた――

という固い、固い確信があったからだろう。自分自身を顧みて、

――あれは幻視だったかもしれんな、体調もわるかったし――

少しでも疑いがあったら、長い年月にわたって、あれほど執拗《しつよう》な努力は続けられなかったのではあるまいか。長い歴史の中にはパウロのように神の啓示を本当に受ける場合もあるんだ、と私が推理する所以《ゆえん》である。霊験《れいげん》にうとい私も少しは信じたくなってしまうのである。

そして、もう一つ、ここまで到《いた》れば、本当に神の啓示を聞くことと、当人が神の啓示を聞いたと疑いもなく迷いもなく信ずることとの差は小さい。どの道、区別はできないし、区別をしたところで実質的に意味のないケースが多いだろう。

イスラム教にとってはいささか御門《おかど》ちがいのパウロについて長々と述べてしまった

が、マホメットについても、その後半生の執拗な努力と確信に満ちた行動をながめると、

──やっぱり啓示はあったんだ──

無神論者にも信じたくなるところがある。

神の啓示を受け続けながらマホメットはその教えを家族から身辺へ、部族の中へと広めていく。少しずつ宗教としてのイスラムが形成されていく。

当初は社会的な広がりより自分自身を律する倫理という傾向が強かったろう。

──神の存在を知り、その中で自分がどう生きたらよいか──

それを考え実践すること、と言ってもよい。

マホメットが登場する以前のアラビア半島はジャーヒリーヤ時代と呼ばれている。ジャーヒリーヤは、未開とか、無法とかの意であり、これは〝まだ神を知らない時代〟というニュアンスを持つことも事実だが、実際にも部族社会を中心に弱肉強食がまかり通り、納得のいく正義や倫理が広がりにくい時代でもあった。宗教も現世のご利益《りやく》ばかりを願望する幼稚なレベルを抜け切れていなかった。

周囲がジャーヒリーヤであればこそマホメットの教えが迅速に心ある人々の耳に届

いた。その教えは神のもとでの正義、平等、隣人愛など、新しい時代に適応するものをたくさん含んでいたのだから……。

が、この教えが限られた小集団の範囲に留っているうちは、

「ハーシム家の若僧がなんかわからんこと、やっちょるわ」

周囲の反応もたいしたことがなかったが、マホメットが最初の啓示を受けてから三年が過ぎ、マホメットの方針が民衆への伝道へと動きだすと、次第に反発が強くなる。マホメットが属するクライシュ部族の実力者や他の部族の実力者、おもだった大商人たちは、自分たちの信仰〔多くは原始的な多神教であったが〕にけちをつけられ、地獄堕《お》ちを喧伝《けんでん》され、生活のやりかたにまで厳しい非難を浴せられて、おもしろかろうはずがない。

今日イスラム教第一の聖所として崇《あが》められているメッカのカアバ神殿は、マホメット以前から存在しており、周辺にも無数の偶像神を置いて、いろいろな信仰の聖地となっていた。毎年、多数の巡礼者が集まり、それがカアバを守護するクライシュ部族に大きな利益をもたらしていた。なのにマホメットの教えは、こうした信仰を排除し、この利益を根こそぎにしかねない。

そればかりではなく、もっと根源的な理由として既成の勢力は、マホメットの教え

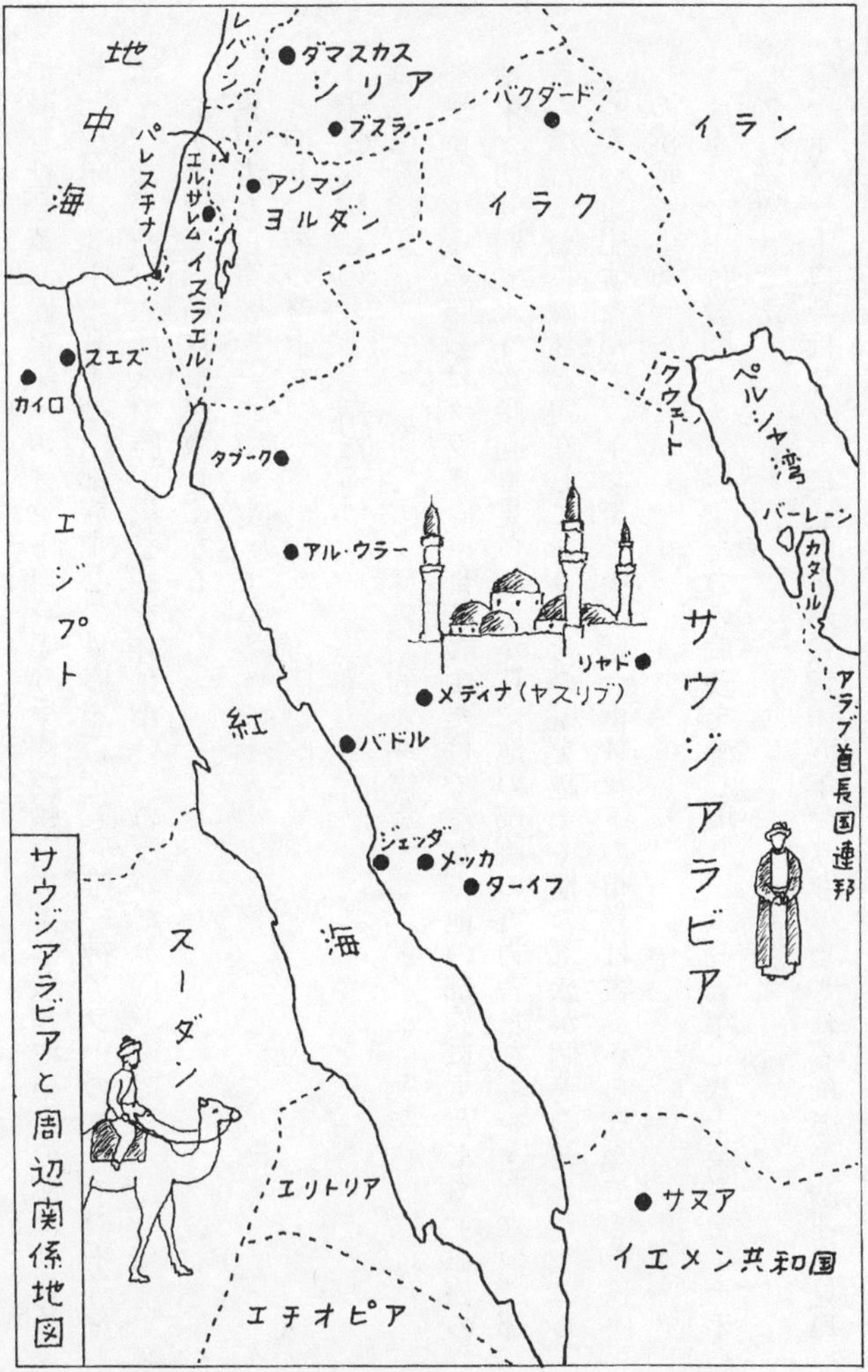
サウジアラビアと周辺関係地図
地中海
レバノン
ダマスカス
シリア
バグダード
イラン
ブスラ
パレスチナ
エルサレム
アンマン
ヨルダン
イラク
イスラエル
スエズ
カイロ
クウェート
ペルシャ湾
タブーク
エジプト
アル・ウラー
バーレーン
カタール
サウジアラビア
リヤド
アラブ首長国連邦
メディナ（ヤスリブ）
紅海
バドル
ジェッダ
メッカ
ターイフ
スーダン
エリトリア
サヌア
イエメン共和国
エチオピア

に潜む社会革命性を［マホメット自身より早く］鋭敏に感じ取っていたのではないのか。マホメットの教えは、部族中心の秩序を否定し、唯一神《ゆいいっしん》アラーのもとでの平等を訴え、族長や、大商人の勝手気ままを許さないものなのだから……。

マホメットへの攻撃が激しくなる。

「預言者なら奇跡の一つでもやってみろ」

と迫り、神の啓示も、

「子ども騙しのおとぎ話だろ」

と罵《ののし》る。

マホメットの布教はクライシュ部族の中だけではなく他の部族にも及んで、血族の結束を切り崩すような傾向も見られたから、他の部族の実力者たちもいきり立つ。部族の壁はつねに厳然と実在しており、その壁を越えて他の部族が個々のメンバーにちょっかいを出すなんて、トンデモナイ。マホメットの布教は古くから守ってきた秩序への挑戦でもあった。

マホメットは教団のメンバーたちの危険を感じ取り、六一五年、八十余名をエチオピアへ避難させた。

マホメット自身はメッカに残ったが、六一九年、うちのめされるほどの悲運に見舞われる。クライシュ部族の中でマホメットを守り続けてくれた伯父アブー・ターリブが没し、続いて最愛の理解者ハディージャも死んでしまう。

——俺はどうしたらいいんだ——

絶望のどん底からマホメットを立ちあがらせたのは神への信頼、そして不撓《ふとう》不屈の精神であったにちがいない。

いったんメッカ近郊の町ターイフへ逃がれるが、敵対勢力はこの町にもはびこっていた。マホメットは石を投げられ、群衆に罵られ、ほうほうのていで逃げ帰るよりほかになかった。メッカに戻り、知人の家を頼って身を寄せたが、クライシュ部族からも命を狙《ねら》われる立場とあって、身方となってくれる知人たちも「宗教活動はやめてくれ」と条件をつける始末。

さあ、どうしよう。

困惑したマホメットに神の助けが下ったのかもしれない。メッカの北四〇〇キロのところにヤスリブという町が栄えていた。メッカとはだいぶ雰囲気のちがう町で、ユダヤ教徒が実権を握り、ユダヤ教が浸透していた。アラブ人はその下で二つの部族を作って、ずっと争い続けていた。

マホメットは市場に集まるヤスリブのアラブ人を相手に神の教えを説き、共感を勝ちうる。ユダヤ教の浸透がマホメットの一神教を受け入れやすくしていたにちがいない。マホメットの教えは正しい倫理の確立においてもユダヤ教と似たところがある。共鳴する人が増えるのを見て、マホメットはヤスリブでの布教に可能性を感じた。

教団の仲間たちを少しずつ分けてヤスリブに移住させ、うちうちでアカバの誓いを結んだのち、ついにマホメット自身が、命を狙う人々の追及を避けて六二二年の九月にヤスリブに入った。これを起点にして本格的な大布教活動が始まる。後にこの行動をヒジュラと呼びならわして、この年がアラビア暦の元年となった。ヤスリブは後にマディーナ・アンナビ〔預言者の町〕と呼ばれ、略してマディーナ、今日のメディナである。このエッセイでも、これからはこの町を、メディナと言おう。

メディナのアラビア人がマホメットを受け入れたのは、抗争する二つの部族が調停者を求めていたからである。マホメットはどちらの部族にも縁がなかったし、ユダヤ教徒とも繋《つな》がりがなかった。そして、なによりも、

「あの人なら大丈夫」

「公平そうだし」

「神様を信じているから、いい加減なことはやらないだろう」

人格と見識に信頼がおけたからだろう。

考えてみれば、マホメットは真実、非凡な人格の持ち主だった。資産家のハディージャは、おそらくひとめでマホメットに好感を抱き、信頼を寄せたにちがいない。その通りマホメットは妻の資産を生かし商人としてつつがなくふるまって相当な成功を収めたようだ。もちろんこの人の特質は商才ばかりではない。預言者としての資質は当然として政治的軍事的才能にも充分に恵まれていた。

いくつかの困難はあったが、マホメットはメディナで短い期間のうちに人々の信頼を集め、信者を増やし、着々と地歩を固めた。友人アブー・バクルの手腕も特筆しておくべきだろう。マホメットは新しい妻アーイシャを迎え、メディナに家を建て、そこが教団の拠点となった。イスラムによる宗教共同体ウンマの建設がはっきりと見え始めた。

この時期の用語としてムハージルーン〔移住者〕とアンサール〔援助者〕を挙げておこう。ムハージルーンはメッカからマホメットとともに移って来た同志たちのこと、アンサールはメディナで一同を受け入れてくれた仲間たちのことである。コーランの中に繁《しげ》く登場する用語である。徳川幕府で言えば三河以来の家臣と関ヶ原の盟友だろうか。

マホメットにいくばくかの目論《もくろ》みちがいがあったとすれば、ユダヤ教徒について、である。少し後《おく》れてキリスト教徒についても似たようなことが起きるのだが、メディナで勢力を張るユダヤ教徒に対してマホメットは当初は、

――同じ一神教を信じているし、仲間になってくれるはずだ――

と楽観していたふしがある。

と言うよりマホメットの受けた啓示にもユダヤ教的な文言が散見され「イスラム教はユダヤ教の影響の中で誕生したと明言してよいかどうかはともかく」折りあえそうな気配がないでもなかった。

しかし、西暦が始まって間もない一世紀後半に国を失い、各地に散って商才を生かしながら自分たちの信仰を固く、固く守り続けてきたユダヤ教徒は、半端《はんぱ》なグループではない。マホメットが望むように動く人たちではない。マホメットの勢力が増大するにつれ対立はあらわになり、抗争が始まる。コーランの内容も……つまりアラーの啓示も、ユダヤ教徒に対しては「キリスト教徒に対しても」時期によって調子が相当に異なる。ありていに言えば仲間が敵になったみたい……。コペルニクス的転回。なにしろアラーからの啓示は長い年月にわたっているからその間に情況が変わり、啓示も変わらざるをえなかったのだろう。だがこの件については後の考察に委《ゆだ》ねよう。

マホメットが率いるイスラム集団は充分に戦闘的であった。

ヒジュラの直前にアカバの誓いを結び、これには第一(六二一)と第二(六二二)とがあり、一年ほどの歳月をへだてて結ばれている。第一は女性の誓い、第二は戦いの誓いとも呼ばれ、前者は女性を守ることをモットーとし、後者はイスラム確立のため、いかなる戦闘も辞さない、という決意表明である。

戦闘の手始めは六二四年のバドルの戦い。これはメッカのクライシュ部族の隊商を襲い商品を奪い取ること、財源の確保と敵対するクライシュ部族に打撃を与えることを目的としていた。こうした略奪行為は遊牧民族にとって珍しいことではない。これぞジャーヒリーヤ時代の伝統、ボヤボヤしてたら身ぐるみ剝《は》がれてしまうのだ。

隊商のほうも護衛をしている。

「マホメットが襲ってくるぞ」

加えて、先にメッカに情報が漏れ、隊商への援軍が駈《か》けつけ、

「このさい、マホメットたちを全滅させてやれ」

メディナの西、紅海に臨むバドルで大きな戦闘となった。

軍勢はメッカ側、つまりマホメットに敵対するクライシュ部族のほうが多く、二倍とも伝えられるが、マホメット側の戦略と戦意が勝って大勝利をもたらす。それに、

なにしろ、マホメットにはアラーがついている。敵が敗れたのは、コーランによれば、

〝これは、かれらがアラーとその使徒に反抗したためである。

アラーとその使徒に反抗する者には、
本当にアラーは痛烈な懲罰を下される。

これこそは、主が行われる不信者への火刑である。あなたがたはそれを味わえ。

信仰する者よ、あなたがたが不信者の進撃に会う時は、決してかれらに背を向けてはならない。

その日かれらに背を向ける者は、
作戦上または味方の軍に合流するための外、必ずアラーの怒りを被《こうむ》り、その住まいは地獄である。何と悪い帰り所であることよ。

あなたがたがかれらを殺したのではない。アラーが殺したのである。

あなたが射《う》った時、あなたが当てたのではなく、アラーが当てたのである。

これはアラーからの良い試練をもって、信者を試みになられたためである。本当にアラーは全聴にして、全知であられる。

このようにアラーは、不信者の計略を無力になされる。不信者よもしあなたがたが決定を求めたのならば、その決定はもう来たのである。あなたがたが不義な事を止《や》めるなら、それはあなたがたのために最もよい。もしあなたがたが攻撃を繰り返すなら、わたしたちも繰り返すであろう。あなたがたの軍勢が仮令《たとえ》多くても、あなたがたにとっては無益であろう。本当にアラーは、信者たちと共においでになられる〟

（第八章〈戦利品〉第一三〜一九節）

と、すべてアラーのおかげであった。アラーの命を受け千人の天使が身方してくれた、とか。

バドルの大勝利は、一に、ほとんど着のみ着のままでメッカから脱出してきたムハージルーン〔移住者〕に経済的な支援をもたらし、二に多くの人々にアラーの加護を信じさせ、三にマホメットの政治的立場を高くし、四にメッカのクライシュ部族に打撃と脅威を与えた、と要約できる。画期的な出来事であったことは疑いない。マホメットが預言者と呼ばれるようになったのも、このあたりから。因《ちな》みに言えば、預言者は予言者ではない。未来のことをあれこれ予測して言う人ではなく、神の言葉を預って伝える人のこと、旧・新約聖書でもコーランでもこの訳語の定義は厳密であり、まちがってはなるまい。

イスラム教が宗教としてはっきりした形を取り始めたのも、このころからであり、そうなると次第にユダヤ教との対立も顕著になり始める。マホメットはユダヤ教の教えや習慣を一方で取り入れながら一方でちがいを探ってイスラムの優位を訴え、ユダヤ教徒を牽制《けんせい》し続けた。

ユダヤ教徒以外にも敵対する勢力は多い。土着の遊牧民も一筋縄では対処できない。いくつかの戦いを挑み、もちろん敗北するケースも皆無ではなかったが、多くに勝利を収めた。そのときのマホメットの懲罰はアラーの怒りさながら凄《すさ》まじいものであった。ある部族に対しては、「男は皆殺し、女と子どもは全《すべ》て奴隷《どれい》とする」と宣言し、その通り実行したが、これが特別なケースというわけではなかった。

六二五年、ウフドの戦い。これはメッカのクライシュ部族が多くの傭兵《ようへい》を集め、

「この前はマホメットを甘く見て、失敗しちまった。今度は目にものを見せてやる」

軍勢を整えてメディナに攻め込んできたのである。メディナの北に位置するウフドの丘が干戈《かんか》を交える戦場となった。

マホメットは苦戦をする。ムナーフィク〔偽善者〕と呼ばれ、イスラムに属しながら、いざとなると戦闘に加わらなかったり敵と通じたり……アラーはコーランの中でことさらにこの連中に怒りをぶつけているけれどマホメット自身の怒りのような気がしないでもない。が、それはともかく、この戦闘ではこういう連中におおいに悩まされた。

ウフドの戦いはマホメット側の敗北に近い戦闘であったが、メッカ側はなぜか止《とど》めを刺さなかった。メッカのクライシュ部族は、メディナに潜むムナーフィクと通じ、彼等を支援して彼等に戦後のメディナ支配を委ねるほうが、メディナに攻め込んで壊滅させるより有利と踏んだふしがある。自分たちのほうにも多くの死傷者が出て、ひるんだところもある。壊滅作戦は自分のほうも損害が甚大《じんだい》だ。途中で追撃をやめてしまった。

おかげで主力を残したマホメット側は結束を一層強固にする。コーランによれば、

〝本当にあなたがたが、アラーの許しの下に、敵を撃破した時〔前回のバドルの戦い〕〟、アラーはあなたがたへの約束を果たされた。

だがアラーが、あなたがたの好むもの（戦利品）を見せられた後、しりごみする

ようになり、事に当って争いはじめ、ついに命令に背くようになった。あなたがたの中には、現世を欲する者もあり、また来世を欲する者もある。そこでアラーは試みのために、［今回は］あなたがたを敵から退却させられた。だがアラーは、もうあなたがたを許された。アラーは信者たちには、慈悲深くあられる〃

〃両軍が相対した日、［今回の戦いで］あなたがたの中に敗退した者があったのは、かれらが稼いだ或《あ》ること（罪）のために、悪魔が躓《つまず》かせたためである。だがアラーはかれらの誤ちを許された。アラーは寛容にして大度量《たいどりょう》であられる〃

（第三章〈イムラーン家〉第一五二節、第一五五節）

つまりバドルの戦いで勝っていい気になっている者が多いので、アラーの戒めがくだったのだ、と……。しかし、そのアラーも今はもうお許しになっているから、これからは一層信仰を深くして励め、という託宣を示し、教団内の動揺を抑え、闘志の鼓舞を促した。

先のバドルの戦いであれ、今度のウフドの戦いであれ、マホメット軍とクライシュ部族との戦闘は双方にとっては雌雄を決するほどの大事件であったけれど、周辺一帯の勢力地図としてはそれほどのものではない。もともと群雄割拠の土地柄だから、どの勢力を懐柔して手を組むか、外交的な折衝が果す役割も大きい。クライシュ部族だけが相手ではない。マホメットはこの点でも秀《ひい》でており、ウフドで受けたダメージをすぐに政治的手腕で回復した。背中にアラーを背負い、次々に反対勢力を征服し、懐柔して仲間に引き込んだ。隊商の交通路を支配して商品を略奪し、あるいは上納させた。

そして六二七年のハンダクの戦い。じわじわと圧迫されたメッカのクライシュ部族が連合軍を作ってメディナを包囲する。マホメットは塹壕《ざんごう》を作って応戦。ハンダクは塹壕の意味だ。連合軍は兵站《へいたん》の確保に疎漏《そろう》があり、士気が著しく低下して敗北、マホメットはこの戦《いくさ》に勝利しただけではなく周辺地域での絶対的な覇権を手中に収めた。

ヒジュラこのかたメディナを拠点にして勢力を拡大したマホメットであったが、信仰の中心地はやはりメッカでありたい。メッカは古くからの宗教都市であり、巡礼者たちの憧《あこが》れの地であった。そこにあるカアバ神殿こそがイスラム第一の賢所とならねばなるまい。メッカ征服はかねてからのマホメットの宿願であった。

六二八年、マホメットは軍を率いてメッカ巡礼に向かい、メッカの聖域に臨するフダイビーヤに野営し、圧力をかけた。聖域での戦闘は禁じられていたのである。神殿を警護するクライシュ部族は戦ったら負けることを承知のうえでマホメットの進入を拒んだ。使節が往復し、フダイビーヤの盟約が成立する。主な内容は十年間の休戦、翌年に三日間だけマホメットたちのメッカ巡礼を許す、というもので、

「マホメットは少しびびったんじゃないのか」

と言われても仕方がないほど譲歩したものであったがマホメットはむしろ、

「ゆとり、ゆとり」

大局をながめ、今後のイスラム共同体ウンマの健やかな建設を考えたうえでの深謀遠慮であったろう。

が、二年後の六三〇年、周辺部族の抗争からメッカのほうに盟約違反が生じ、マホメットはふたたびメッカへ進攻して無血のうちにメッカ入城を果たす。マホメットはカアバ神殿に赴き、手にした杖《つえ》で立ち並ぶ偶像を打ち倒し、

「アラーは偉大なり。アラーのほかに神はなし」

唯一神《ゆいいっしん》への限りない敬愛を宣言した。カアバ神殿の鍵《かぎ》の管理、そして巡礼に水を売

る権利なども、気心の知れた家系に委ねられた。周辺の神殿の偶像もことごとく破壊された。

このの ちマホメットはメディナへ戻り、年ごとのメッカへの巡礼が実現される。その一方でフナインの戦い、タブーク遠征、ターイフ進攻など輝やかしいウンマの建設までには、なおいくつかの争いを経ねばならなかった。内政上の問題、信仰上の問題、いくつもの難問があった。アラーの啓示を受けながら獅子《しし》奮迅の大活躍、ここでも古くからの友人アブー・バクルの協力がめざましい。

六三二年のメッカ巡礼は、結果としてマホメットの最後の巡礼行となった。それゆえに別離の巡礼と呼ばれている。自らの死を覚《さと》ったのか、この巡礼はマホメット自身の指揮のもとでとりわけ盛大に挙行された。

ほほえましいエピソードが残されている。苦笑かもしれない。マホメットは最初の妻ハディージャの死後アラーの許しをえて何人かの妻を娶《めと》っているが、コーランの掟《おきて》として平等に愛さなければいけない。それでも女たちの嫉妬《しっと》には悩まされた。マホメットは日替りでそれぞれの部屋を訪ねていたが、最後は、

「もう勘弁してくれ。アーイシャの部屋で死にたい」

と言ったかどうかはともかく、他の妻たちの了解を得て長年連れそった妻アーイシ

涯であった。

ャの部屋に入り、そこで息を引き取った。六三二年六月八日のこと、享年《きようねん》六十二の生涯であった。

マホメットの死後、だれを共同体ウンマの首長としたらよいか。預言者の代理人とも言うべきカリフが設けられ、四代の正統カリフが首長となって統治が続けられた。第一代はマホメットの片腕アブー・バクル（在位六三二〜六三四）、第二代はウマル・イブン・ハッターブ（在位六三四〜六四四）、マホメットの友人であり、アブー・バクルの片腕であった。第三代はウスマーン・イブン・アッファーン（在位六四四〜六五六）で、この人もマホメットの友人であり、マホメットの娘ルカイヤと同じく娘ウンム・クルスームの夫であった。第四代アリー（在位六五六〜六六一）はマホメットの近しい従弟《いとこ》であり、娘ファーティマの夫となった人物だ。彼は、あの、もっとも早い時期にマホメットのもとに馳《は》せ参じたグループの一人である。繋《つな》がりは深い。マホメットの死後、アリーこそがまず第一の後継者となるべきだ、という考えも相当に強く実在しており、抗争が生じた。この結果、四代にわたるカリフ制の内情はかならずしも円満ではなかった。第三代のウスマーンは配下の信徒たちに殺害され、アリーもまた暗殺団のテロにより斃《たお》れた。今日にも残るスンニー派とシーア派の対立は、遠くこのときの抗争から始まっている。そしてアリーの死後はダマスカスを拠点とするウマイヤ朝の王制へと移っていく。

マホメットの布教活動は最初の啓示から数えて二十二年、ヒジュラから数えて十年、けっして長い年月ではなかったが、世界地図に大きな影響をもたらすものとなったのは、どなたもご承知のことだろう。

# ❸ アラーは駱駝《らくだ》を創《つく》った

好運の神様は前髪こそフサフサと豊かに生えそろっているけれど、後頭部はツルツルに禿《は》げている。だから向こうから好運が走って来たとき、

──よし、今だ──

待ちかまえて前髪をつかまえれば無事に好運を手中に収めることができる。

けれど、ぼんやりしていて、ランナーが通り過ぎてしまったあと、

──あれ？　今のが好運の神様だったらしいぞ──

追いかけてつかまえようにも、うしろはツルツル、ツルツル、手がかりがないから捕らえられない。そのまま逃げられてしまう。

有名なたとえ話だからご承知のむきも多いだろう。つまり、好運とはそのようなもの。こちらにつね日ごろから心がまえがあり、待ちかまえていてこそ恵まれる、という教訓だ。取り逃がしたあとで地団駄を踏んでも、もう遅い、ほぞをかむだけである。

閑話休題、四十歳を迎えたマホメットにもなにかしら心中に期して待つものがあったのではなかろうか。

よい妻に恵まれ、商人としてもそこそこに成功を収めた。だが、

──これでいいのだろうか。人はなんのためにこの世に生を受け、生き続けているのだろうか。死んだあとは、どうなるのか──

もやもやとした懊悩《おうのう》があった。

マホメットの住むメッカは宗教の町であり、カアバ神殿には多くの巡礼が集まってくる。だが、みんな、てんでんばらばらにわけのわからない偶像を拝んでいるだけだ。目先のご利益《りやく》や子ども騙《だま》しの占いを信じている。もっと深い教えがないものか。ユダヤ教の人たちは唯一神《ゆいいっしん》を信じているらしいが、どんな神なのだろうか。一方、メッカに住む人々の生活を知れば知るほど理不尽がまかり通っている。貧富の差がはなはだしい。同じ人間に生まれながら、生きることさえままならない者がたくさんいる。

——神はいるのだろうか。神はこんな世の中を望んでいるのだろうか——

メッカの郊外にヒラー山と呼ばれる丘があった。古くから神聖な丘とされていた。町の中心部から北東に五キロほど。砂漠に突き出した岩稜《がんりょう》で、草木の緑は少なく、疎《まば》らという表現さえためらわれてしまう。ところどころに岩の裂け目があり、貧しい人たちが、そこをすみかとしていた。

マホメットは毎年時期を決めて、家族とともにこの山の一隅に籠《こも》って、祈りを捧《ささ》げていた。なにに対して祈るのか、釈然としないところがあったけれど、マホメットは、そして妻のハディージャも敬虔《けいけん》な人柄であった。よくはわからないが、一族の習慣に従い、知らない神に祈っていた。祈りのあとには貧しい人たちに施しをして、帰りにはカアバ神殿に立ち寄って、ここでも祈りを捧げていた。

ある年のこと、いつものようにヒラー山に行き、

「ハディージャ、子どもたちと一緒に先に帰ってくれ」

「あなたはどうするんですか」

「私はもう少し籠って、いろいろ考えてみたい。なにか答が得られそうな気がする」

夫の真剣な表情を見て、妻は、

「いいわ。どうぞ好きになさって」

と、子どもたちと一緒に丘を下って行った。

マホメットは一人残って洞窟《どうくつ》に籠り、思索に耽《ふ》けった。何日かが過ぎた。

そして、ある夜、下弦の月が鈍色《にびいろ》の空に低くかかるころ、マホメットはうとうととまどろんだ。

夢の中で激しい圧迫を感じた。これまでに体験したことのない不思議な力だった。

目を開け、外の薄闇《うすやみ》をうかがうと、地平線の上に高く人影のようなものが輝いている。それがたちまち二矢《し》ほどの距離［矢が届く距離の二倍。六十メートルくらい］にまで近づいて来て、

「読め！」

と告げた。

このエッセイの第2話でも少し触れたように、この「読め」はコーラン独特の表現で、あえて説明的に言えば〝暗記して唱え伝えよ〟であろうか。

そう言われてもマホメットはなにを読んでいいかわからない。

「読めません」

「読め！」

「なにを読むのでしょうか」

輝やく人影は［あとになってわかったことだが］天使ジブリール［ガブリエル］であり、マホメットの問いかけに対して天使が答えたのが、コーランの第九六章〈凝血〉の一部、あるいは第七四章〈包《くるま》る者〉の一部であったと伝えられるが、くわしいことはわからない。二つとも文言のほうは第2話で引用しておいたので、ここでは省略しよう。

ことの成り行きだけをくり返して記せば、マホメットはわが身になにが起きたのかわからず、悪霊《あくりょう》にでも遭ったのかと恐れて大急ぎで家に帰り、不思議な体験としてハディージャに語った。

「それは神からの啓示です」

ハディージャに迷いはなかった。疑いもなかった。ハディージャはユダヤ教などからの伝聞を通して預言者について、なにほどかのイメージを持っていたのかもしれない。マホメットの人柄の正しさをハディージャは熟知していたから、

――神からの啓示が下るとしたら、こんな人のところへ――

と信ずるものがあったのかもしれない。まったくの話、マホメットの体験は、ハディージャがそれまでに聞いていた神の啓示のありようとよく似ていた。

そしてマホメットのほうもやはりそれまでの長い沈思黙考の結果として、心の用意があったのではないのか。まのあたりにした不可思議に恐れながら……恐れるにふさわしい出来事であればこそ、これが神の啓示だと覚《さと》ったにちがいない。

天使ジブリールが姿を見せたのは、このときと、このあともう一度くらいだけだったらしいが、啓示はこの夜を始めとしてしきりに響きわたり、マホメットの耳に、心に聞こえるようになった。

しばらくは短く、断片的に伝えられた。やがて、さまざまな事柄について語られるようになった。この啓示は二十年を越えて断続的に起こり、次第に神の掟《おきて》として法制的な意味あいを帯びるようになる。マホメットはそれを〝読む〟ことを命じられ、声高らかに人々に伝え、導いた。それがコーランであることは、言わずもがな、おおか

たのよく知るところであろう。神の名はアラー、後に記述編集され全一一四章、まことに、まことに膨大《ぼうだい》な啓示であった。

その膨大なコーランについて、

「神様だったら、やっぱ、いつも同じこと言わなきゃおかしいよ。言うことがコロッと変わるのは、まずいのとちゃう?」

「ノー、ノー。ケース・バイ・ケース。時によって言いかたが変わることもあるさ。けど長い目で見れば、ずーっと正しいことなんだ。同じことを言ってるんだ」

不敬かもしれないが、コーランの記述について、こんな会話が交わされることも充分にありうるだろう。私はどちらの肩を持つわけではないけれど、前者のような観点も充分にありうるだろう。

もちろん後者の言うように根幹は変わらない。アラーは世界の支配者にして唯一神、最後の審判の主宰者、すべてがお見通しである、などなどおおもとは一貫している。ただ末節のほうはとなると微妙に調子を変えるケースがないでもない。神の啓示もまた歳月の経過、情況の変転の中で聞かなければならない、ということだろうか。マホメットが啓示を受け続けた二十余年は、情況の変化の著しい日々でもあった。

わかりやすい一例を挙げれば……マホメットはクライシュ部族の出身だった。当時のアラブ社会では、なにをするにも部族の枠組の中で動くのが通例であったし、マホメット自身もあるときまではこの例外ではなかった。

だが、後半生、マホメットの第一の敵は……バドルの戦いも、ウフドの戦いも、ハンダクの戦いも、ほとんどの諍《いさか》いがクライシュ部族を敵とするものだった。自分を育《はぐく》み、自分の拠《よ》りどころとなったクライシュ部族、それがイスラム共同体ウンマの建設に逆う最大の障害となったのだから、マホメットの判断も心理も一様ではありえない。

アラーの啓示も、初めのうちこそ、

〝クライシュ部族を守るために、
冬に、夏に、彼等の隊商を守るために、神殿の主をあがめ、
神殿の主にひたすら仕えるがよい。
神殿の主こそおまえたちが飢えるときには食べ物を与え、おまえたちが恐れるときには安らかにと守ってくれたおかたではないか。その主にひたすらお仕えするがよいぞ〟

（第一〇六章〈クライシュ族〉第一～四節）

とコーランに記されている。ここで言う聖殿はメッカのカアバ神殿であり、その主はもちろんアラーの神、クライシュ部族は古くから神殿の管理を委《ゆだ》ねられ、その信仰と利権が部族の力となっていた。アラーは神殿を守るクライシュ部族の身方だったのである。

ところが、数年後の啓示では、神はムーサー〔モーセ〕を迫害したエジプト王を諌《いさ》めたあとで、

〝このごろのアラビア人たちよ、おまえたちは信仰を失い愚行を重ねて、どうして、あのエジプト王より自分たちがましだと言えるのだ。啓典のどこかに特別な赦免が書いてあるとでも言うのか。断じてありはしない。

なにを根拠に「おれたちの勝利はまちがいない」などとほざいているのか。まもなくおまえたちは敗北し、逃げ散るよりほかにないのに。

そして最後の審判では、おまえたちのいっさいが尽き果て、とことんひどいめに遭うのだ〟

（第五四章〈月〉第四三～四六節）

とあって、ここで言う〝アラビア人〟はマホメットに敵対するクライシュ部族を指している。そのクライシュ族がムーサーを迫害したエジプト王より、どこがましだと言うのか、クライシュ族にだけ救済のための特赦が設けられているとでも言うのか、と諌め、最終的にはクライシュ部族の滅亡を宣告しているのだ。かつてカアバ神殿の主をあがめる人たちとして祝福されていたのが、一転してここでは呪《のろ》われている。コーランでの扱いが変わっている。ユダヤ教徒やキリスト教徒に対しても同じように初めは期待し、後には激怒する文言がコーランの中に散っている。マホメットを取り囲む情況の変化により啓示がときおり調子を変えるのは確かである。

そうであるならば、コーランの各章が、

――いったい、いつごろの啓示なのか――

と、啓示の下された時期を知りたくなるのだが、これがまたなかなか悩ましい。

コーランが編纂《へんさん》されたのはマホメットの死後少したってから、第三代カリフのころと言われているが、全一一四章の配列は、おおよそのところ〝長いものから短いものへ〟という方針で編まれており、内容とはほとんど関わりがない。古いものから新しいものへ、という配列ではないし、重要なものから順に、という方針でもなかった。

ただ初めのころの啓示は短かく、後になるにつれ長くなったので、全体として〃新しいものが前にあり、古いものが後にある〃というおおまかな傾向が見られるけれど、この傾向も各章の時間的順番をきちんと判別できるほど厳密ではない。そして後代の研究が少しずつこの弊を補い、今では各章がいつごろの啓示か、おおよその推測がなされるようになった、という事情である。

とりあえずはマホメットが、その啓示を受けたとき、どこに住んでいたかによりメッカ啓示、メディナ啓示の二つに区分することが慣行となり、またメッカ啓示をさらに二つに分け、都合三区分とすることも便宜的に採用されている。このエッセイでは三区分のほうを紹介しておこう。

すでに第2話でマホメットの生涯をかいま見たが、三区分の第一期は最初の啓示から三年間、マホメットはメッカにあって家族や周辺の者たちを相手に教えを広めていた。クライシュ部族との対立もまだ少ないころである。第二期は一般大衆への伝道に踏み出してからヒジュラまでの九年間、メッカに住んではいたが、迫害を受けたり姿を隠したりしていた。第三期はメディナに移り住み大躍進を遂げたのち、この地で他界するまで、およそ十年間である。それぞれの時期においてマホメットの志向と情況が著しく変化し、それに応じてアラーの啓示も力点の置きかたを変えた。

三つの時期に分けたところで、この章では第一期の特徴を探ってみよう。なべてこの時期の啓示は短い。一番初めと二番目とに推定される第九六章〈凝血〉と第七四章〈包る者《くるま》〉は当然この時期のものだ。〈凝血〉では神が一滴の血［精液だとも言う］から人間を創造し英知を与えたことを告げ、〈包る者〉ではマントを頭からかぶって恐れおののいているマホメットに堂々と立ちあがって世に警告を与える人となること、そのためにはマホメット自身が身を清らかに保ち、見返りを期待せずに布教につくし苦悩に耐えることを命じている。

この二章に継いで、第一期と目されるものは……データとしての価値があるので、少しわずらわしく無味乾燥に映ろうけれど、この期に属する章節を一通り挙げておこう。

コーラン研究の権威者、M・ワットの著〈ムハンマド〉（牧野信也《しんや》・久保儀明《くぼよしあき》訳・みすず書房刊）を基としたものである。ご用とお急ぎのかたは、この数行は読み飛ばしていただいても苦しゅうない。

すなわち［初めの二つはくり返して挙げるが］第九六章〈凝血〉第一～八節。第七四章〈包る者〉第一～一〇節。第一〇六章〈クライシュ族〉。第九〇章〈町〉第一～

一一節。第九三章〈朝〉。第八六章〈夜訪れるもの〉第一〜一〇節。第八〇章〈眉《まゆ》をひそめて〉第一〜三二節〔第二三節は省く?〕。第八七章〈至高者〉第一〜九節、第一四〜一九節。第八四章〈割れる〉第一〜一二節。第八八章〈圧倒的事態〉第一七〜二〇節。第五一章〈撒《ま》き散らすもの〉第一〜六節。第五二章〈山〉部分的。第五五章〈慈悲あまねく御方〉。

であり、一章がまるまる同じときに下った啓示ではないことも、ほの見えている。啓示を受けるマホメットは、いきなり降り落ちてくる神の言葉に当初はおそれおののきマントを頭からかぶって聞いていたらしい。愛妻ハディージャの説得もあって少しずつ慣れたであろうが、啓示のほうも当初は神の創造と世界の終末を厳《おごそ》かに語って神威に溢《あふ》れている。聞く者の恍惚《こうこつ》や神がかりを誘っている。そして詩的で、力強い。第二期以降の啓示が説話的になったり、法制的になったりするのと比べて、著しいちがいが確認できる。民衆を指導するためではなく、神はまずマホメット一人に真理を伝えているふしがある。

その一例を第九三章〈朝〉に見れば、

〝美しい朝の光にかけて、

厳かな夜の静寂にかけて、あなたに明言しておこう。
神はあなたを見捨てない。あなたを憎もうはずもない。
あなたにとって来世は現世よりはるかにすばらしいものだ。
神はかならずやあなたに満足を与えてくれる。
これまでだって神は孤児同然のあなたを見つけて庇《かば》ってくれたではないか。
迷っているあなたを見つけて導いてくれたではないか。
また貧しいあなたを見つけて豊かにしてくれたではないか。
だからあなたもまた孤児を虐《しいた》げてはならない。
もの乞いにはやさしく接するがよい。
そして神の御恵みをつまびらかにしてやるがよい〟

（第九三章〈朝〉第一〜一一節）

と素朴で力強く、わかりやすい。
幼少年期のマホメットは孤児に近い境遇だった。父を失い、母を亡《な》くし、庇護者の祖父にも死なれてしまった。伯父のもとに身を寄せたが、この伯父もさほど力のある人ではなかった。

――俺の将来は……どうしよう――

おおいに悩んだ時期があったにちがいない。

商売をやろうにも資金がない。隊商に加わろうにも、有力なバックアップがなければ使い走りに甘んじなければいけない。

そんなとき裕福な未亡人ハディージャとめぐりあった。そして結婚。彼女はすばらしい人柄の持ち主で、この結婚によりマホメットの人生は一変する。このうえない好運であった。このときに鼻の下を伸ばして、

「えへへへ。俺ちゃん、もてるからね」

などといい気にならないところが、マホメットのマホメットたる所以《ゆえん》なのだ。

――こんな好運に恵まれるなんて、信じられない――

漠然とではあれ神の恵みを感じたのではなかったか。

アラーは抜かりなく、そこを突く。論より証拠、あなたに充分な幸福を授けてやったではないか、と……。同じようにあなたも孤児を大切にしてやれよ、と、これはコーランを通して繁《しげ》く命じられている教訓だが、結果のほうからながめれば、この教訓は、マホメットの個人的な事情から発したことでありながら社会福祉的に広がってイスラム社会建設の大きな指標の一つとなった。部族社会の勝手気ままが横行する当時

のアラビア半島では、孤児的な境遇が到《いた》るところに遍在していたのである。その救済を訴えたことが、イスラムへの同調者を集める要因となったのは疑いない。マホメットは孤児救済の必要性をみずからの体験から実感していただろうけれど、それを一つの理念としてイスラムの形成に役立てたのは、マホメットの政治感覚の鋭さなのか、それともやっぱりアラーの先見の明なのか、読者諸賢はどう判断されるだろうか。

ともあれ、いま引用した〈朝〉について……砂漠の朝は身震いをするほど神々《こうごう》しい、夜はみずからの存在を疑いたくなるほどの静寂と闇《やみ》に包まれ、身の毛もよだつほど厳粛だ。その中にあって神が、マホメットのこしかたに触れ、行く末をことほいでいる。詩的であり、いかにも啓示らしい啓示、と私が思う所以である。

短くて断片的な第一期の啓示の中で、繁く見られているのは、人間も世界も一切が神の創造であり恵みであることを説いている文言だ。それゆえに神は人間をどのようにでも操ることができるし、人間の進むべき道、あるべき姿はすべて神により決定されている、と続く。それを守れば至福であり、にもかかわらず守らない馬鹿者《ばかもの》がなんと多いことよ、と嘆いている。

〃信仰のない者には禍《わざわ》いがあればいい。なんたる恩知らずか。
いったい神がなにから人間を創《つく》ったと考えているのか。
それはたった一滴の精液。五体を整え、
母の胎内から導き出し、
やがて時が到れば、死を与え、地に埋める。
神はまた御心《みこころ》のままにそれを呼び起こし復活させる。
ああ、これほどの御恵《みめぐ》みを受けながら人間は神の命じたことを果さない。
たとえば食べ物のことを考えてみるがよい。
食べ物もまた神が雨を降らせ、
大地にほどよい裂けめを作り、
穀物を実らせる。
ぶどう、青草、
オリーブになつめやし、
豊かに生い繁る草原、
果物に牧草、
みんな神が創り、人間と家畜を養っているというのに〃

またべつな章では、

（第八〇章〈眉をひそめて〉第一七〜三二節）

〃神は人間を苦しむものとして創った。
それなのに人間は自分で自由にふるまえるとでも考えているのか。
財産の多さを自慢し、
不敬を働いても、だれも見ているまいと侮《あなど》っている。
人間たちに二つの目を与えたのも神である。
一つの舌、二つの唇、これも神の創ったもの。
さらに善と悪との二つの道を創り示して、人間たちを試みた。
ああ、それなのに人間たちは辛い善の道を避けてばかりいる〃

（第九〇章〈町〉第四〜一一節）

とあって、人間はもともと現世で苦労するように創られているのであり、お金をたくさん使ったからと言って幸福になれるものではない。また不敬はかならず見つかる。

神が与えた能力を生かし、苦しく辛《つら》い道を選べば、おのずと至福が待っている、なのにそれを避けている、というロジックである。

ついでに、もう一つ、

〝あの、すばらしい駱駝《らくだ》がどのようにして創られたか、考えたことがあるのか。

空はどうだ？　空がどのようにして高く張りめぐらされたか、考えたことがあるのか。

山はどうだ？　山がどのようにして盛りあげられたか、考えたことがあるのか。

また大地はどうだ？　大地がどのようにして広げられたか、考えたことがあるのか〟

（第八八章〈圧倒的事態〉第一七～二〇節）

と、造物主のすばらしさを語っている。空も山も大地も、あの雄大な存在はみんな神の御業《みわざ》なのだ。雄大な大自然と一緒に駱駝が置かれているのはスケールが小さくて少し唐突な感じがするけれど、砂漠の民にとって、駱駝は本当にすばらしい動物なのだ。成長した駱駝は百リットルの水を飲んだあとは一滴の水の補給がなくとも十日を超える長旅に充分に耐えられる。五人分の荷物を背負って、一日に五十キロくらい平気で歩く。ほかの家畜と比べて、桁外《けたはず》れの持久力。砂漠の奇跡と考えてふさわしい。駱駝を例に出されたら遊牧民は、

――まいった、まいった、まったく神様の御恵みだぜ――

と納得したくなる。雄大な空、山、大地に勝るとも劣らない。駱駝のような卑近な存在も、めくるめく雄大な世界もみんな神の創りたもうたもの、とコーランは告げている。

神の創造がどれほどすばらしいものか、コーランに限らずたいていの聖典がこの壮挙を高らかに謳《うた》っている。不肖私も大は大自然のとてつもない荘厳《そうごん》さから、小は人間の脳みその精巧さまで、折にふれ時にふれ造物主のすばらしさを充分に感じているけれど、根がへそ曲がりのところがあるものだから、こうした説諭に対してはいつも思い出してしまうことがある。

二十世紀フランスの劇作家J・ジロドゥ（一八八二～一九四四）の戯曲〈アンフィトリオン38〉の一シーン、このドラマはギリシャ・ローマ神話を素材にして神と人間との対立を揶揄《やゆ》した喜劇なのだが、造物主ジュピテルがいかに神の創造がすばらしいか、

人妻のアルクメーヌを相手に熱心に説いている。余分なところを取り除いておもだった台詞《せりふ》のやりとりを紹介すれば、

〝ジュピテル　眼に見えるようだ……はじめに混沌《こんとん》が支配していた……ジュピテルのまことに独創的な考えは、これを四つの要素に分離することだった。

アルクメーヌ　たった四つ？

ジュピテル　四つ。まず第一は水だ。これだってそう易々《やすやす》とは創れやしない。信じてもらいたいね！　ちょっと見たところ、この水というやつ、大そう当り前のもののように見える。しかしね、水を創る方法を考えるのと、水という観念を持つのとは、全然別問題だ！

アルクメーヌ　そのころ、女神たちはどんなふうに泣いてたのかしら、青銅の涙？

ジュピテル　余計な口はきかないで。ジュピテルはふとこんなことを思いつかれた。つまり、空間を満してはいるが、まだうまく調整されてはいない大気、そのどんなショックもやわらげられる、弾力性のあり、しかも圧縮できないある力というものを。

アルクメーヌ　泡というのも、あの方の発明？

ジュピテル　いや違う。が、一たん水ができあがると、嵐《あらし》を弱らすため不規則な岸

で水をとり囲み、また鏡のようにキラキラ照り映える水面で神々の眼がくらまないよう、あちこちに陸地をまき散らそうとお考えになった。あるものは溶け易い土で、あるものは小石のごろごろした岩で。こうして大地が創られた。そして様々な景色も……

アルクメーヌ　じゃあ、松の木は？

ジュピテル　松の木？

アルクメーヌ　日傘《パラソル》松や杉松や絲《いと》杉松。そんな緑や青のかたまりがなければ、景色なんかあり得ないわ……それから、こだまは？

ジュピテル　こだま？

アルクメーヌ　まるでこだまそっくりの返事をなさるのね。それから色は、いろいろな色を創ったのもあの方？

ジュピテル　虹《にじ》の七色は、ジュピテルだ。

アルクメーヌ　蝦《えび》茶色とか緋色《ひいろ》、とかげ色の緑とか、あたしの好きな色のことよ？

ジュピテル　そんな仕事は染物屋にまかせた。だがね、エーテルのいろんな震動の力をかりて、この宇宙にジュピテルは様々の音や色の網の目をはりめぐらした。人間の器官に感じられるのもあれば、感じられないのもある無数の網の目（まあ結局、どっちだって構わないんだけどね！）。それは、光の屈折をまた反対に屈折させるように、分子の二重衝突をまた衝突させて創ったんだ。
アルクメーヌ　やっぱりあたしのいってたとおりだわ。
ジュピテル　なんていってたんだね？
アルクメーヌ　ジュピテルはなにひとつ創らなかったって！　あたしたちを忘我と錯覚の恐しい組合せの中に投げこんで、自分の力でなんとか切り抜けていかねばならないようにしたんだわ。
ジュピテル　不敬なことを、アルクメーヌ。
アルクメーヌ　神さまがどうしてあたしを非難することがあって？　もしかしたらあたしたち、二十の要素が必要だったのに、ジュピテルはたった四つしか創って下さらなかったといって、なにもとくに感謝しなけりゃならないって法はないわ。
大昔から、これがジュピテルの役目だったんですもの〟
（〈ジロドゥ戯曲全集1〉白水社刊。〈アンフィトリオン38〉諏訪《すわ》正訳・第二幕第二場より）
喜劇を装《よそお》いながらJ・ジロドゥは相当に凄《すご》いことを言っている。神への反逆……。
もしかしたら駱駝だって、もっと耐久力のある動物を神様が創ってくれたほうがよかった……のかもしれない。

不敬はこのくらいにしてコーランの第一期に見られるもう一つの特徴は、最後の審判と、その賞罰とを明らかにしていることだろう。これはコーラン全体を通して何度もくり返されるテーマだが、第一期においてことさらに鮮やかだ。

第五五章〈慈悲あまねく御方〉は第一期の中では一番長い章で、内容もまとまっている。この章には最後の審判とはべつにもう一つ特筆大書すべき顕著な特徴が備わっているのだが、それは後で触れるとして、とりあえず若干の中略を混えて五十数節を引用してお目にかけよう。しばらくはアラーの創造の御恵みについて説明があり、やがて最後の審判となる。楽園の様子が描かれている。

〝慈悲深い神が、
このコーランを人間に授けたまわれた。
神は人間を創り、
もの言うすべを教えられた。
太陽も月も神の御業により運行し、

草も木も神に伏拝する。
神は空を高く掲げ、善悪を計る秤《はかり》を設けられた。
そして人間たちに言う。「秤を不正に用いてはいけない。
つねに公正を心がけ、悪の量目は小さくしてはなるまいぞ」と。
大地を広げ、生あるものを住まわせた。
果物がある、なつめやしがある。
殻《から》をかぶった大麦小麦、馥郁《ふくいく》と香る野の緑草。
おまえたちは神の御業のどれが偽りだと言うのか。（中略）
地上にあるものはすべて滅びる。
永遠《とわ》に変わらないものは厳かな神の慈顔。
おまえたちは神の御業のどれが偽りだと言うのか。
天地にあるもの、すべてが神に請《こ》い願い、神は日ごとに御恵みを示し助けたもう。
おまえたちは神の御業のどれが偽りだと言うのか。（中略）
罪を犯した者はひとめでわかる。たやすく前髪と足とをつかまえられてしまう。
おまえたちは神の御業のどれが偽りだと言うのか。

つかまえられて、さあ、これが罪を犯した者たちが日ごろから嘘《うそ》だと言っている地獄だぞ。

その中に投げられ、煮えたぎる熱湯にさらされる。

おまえたちは神の御業のどれが偽りだと言うのか。

一方、神を敬い神をおそれてきた者には二つの楽園がある。

おまえたちは神の御業のどれが偽りだと言うのか。

二つの楽園には木々が生い繁る、
おまえたちは神の御業のどれが偽りだと言うのか。

二つの楽園にはこんこんと迸《ほとばし》る二つの泉。

おまえたちは神の御業のどれが偽りだと言うのか。

二つの楽園にはあらゆる果物が二種類ずつ。

おまえたちは神の御業のどれが偽りだと言うのか。

楽園に招かれた者は錦《にしき》の寝台に身を寄せて、身近に実る果物に手を伸ばす。

おまえたちは神の御業のどれが偽りだと言うのか。

かたわらに清らかな乙女たち、目もとすずしくかしずいている。

おまえたちは神の御業のどれが偽りだと言うのか。

乙女たちはさながらルビーか、珊瑚《さんご》。
おまえたちは神の御業のどれが偽りだと言うのか。
善行の報いは善。
おまえたちは神の御業のどれが偽りだと言うのか。
二つの楽園のかなたに、もう二つの楽園がある。
おまえたちは神の御業のどれが偽りだと言うのか。
遠い二つの楽園は緑したたる佳境。
おまえたちは神の御業のどれが偽りだと言うのか。
ここにも二つの泉が清らかに湧《わ》き出ている。
おまえたちは神の御業のどれが偽りだと言うのか。
もちろんさまざまな果実、なつめやしもざくろもたわわに実っている。
おまえたちは神の御業のどれが偽りだと言うのか。
ここにもみめうるわしい乙女たち。
おまえたちは神の御業のどれが偽りだと言うのか。
乙女たちは天幕の奥へ籠《こも》って待っている。
おまえたちは神の御業のどれが偽りだと言うのか。

だれもが手を触れたことのない清らかな乙女たち。

おまえたちは神の御業のどれが偽りだと言うのか。

緑のしとね、美しい敷物……。

おまえたちは神の御業のどれが偽りだと言うのか。

恵み深く、気高い神、この神の御名に祝福あれ〟

（第五五章〈慈悲あまねく御方〉第一～一三節、第二六～三〇節、第四一～七八節）


ざっと読み通し〝二つの楽園の外に、もう二つの楽園がある〟というのだから、

――ははーん、天国の楽園は合計四つあるわけか――

となるが、ここは解釈の分かれるところ。最後の審判ではアラーにより右手へ行くことを指し示された者が楽園行きとなるのだが、この右手組の中にも現世でのおこないにより序列がある。特上と上と……。

――奥のほうの乙女たちが、メチャンコきれいなんだ、きっと――

なんて下衆《げす》の勘ぐりは、さておいて……もう一つの解釈は、これはただの修辞法。この章では随所に二つの概念を並べて取りあげているので、楽園のほうも二と二を重ねた、という見方もある。なーんだ、つまらない。深く考えると正鵠《せいこく》を失うかもしれ

ない。

それにしてもかしずくのは乙女ばっかりで……女性たちは現世でよきおこないを積んでも楽園に入れないのかな？　やっぱり男尊女卑？　いや、いや、昨今は清らかな童貞が現われたりして……。

まあ、それはともかくこの章には〝もう一つ特筆大書すべき顕著な特徴が備わっている〟と先に述べておいたが……もうお気づきだろう。

厭《いや》でも気がついてしまう。つまり、その〝おまえたちは神の御業のどれが偽りだと言うのか〟のリフレイン。中略を入れてしまったが、さながら交響曲の楽章のあいまに響くモチーフのように、初めはこのフレーズがさりげなく入り、頻度を増し、最後は一フレーズおきにこれがくり返される。おかげで長い引用となってしまったことをお許しいただきたい。このリフレインが詩的な修辞法であることは明白だ。

コーランは神の言葉であると同時に神の音楽でもある。文言が伝える意味内容も大切だが、朗唱して響く厳粛さ自体が神の臨在を顕《あら》わしてつきづきしい。だから、

「アラビア語で読むコーランだけが本物で、あとはみんなペケ」

これがまっとうな主張とされている。

この主張の一つの帰着として、コーランは、相当に長い年月にわたってアラビア語

以外で読むことが禁じられ、翻訳も許されなかった。

——そりゃ、あんまりな——

アラビア語はそう簡単に熟達できる言語ではない。アラビア語がわからなくても、コーランの一端くらいは知りたいではないか。

十二世紀の中ごろにラテン語への翻訳がおこなわれたが、ローマ法王のさしがねにより版本が焼かれてしまった。十六〜十七世紀になってようやくラテン語、イタリア語、ドイツ語、オランダ語、フランス語、英語と、いろいろな翻訳が敢行されるようになったとか。こうした翻訳の歴史の中には、異質の言語を訳すという一般的なむつかしさのほかに、キリスト教徒の翻訳であるがために多少の「ときにはかなりの」偏見が混っているケースもあったようだ。

イスラム教とキリスト教の対立の歴史は長く、深い。マホメット自身は、当時のアラビア半島の情勢を反映してユダヤ教に多く悩まされたし、現下のパレスチナ情勢もユダヤとイスラムの抗争をあらわにしているけれど、世界史的な視点でながめれば、やはりイスラム教とキリスト教のほうが長く、広く、深く争い続けてきた、と私は思う。キリスト教の権勢がひときわ顕著であったヨーロッパの中世では、イスラム教なんかトンデモナイ、カトリックの陣営からあしざまに罵《のの》しられていたのは事実である。

その顕著な一例を「イスラム教徒は、これを嫌い、いまだにこの一例を発禁あるいは部分削除に処しているらしいが」偉大なるダンテ（一二六五〜一三二一）の名作〈神曲〉に見れば、マホメットは娘婿《むすめむこ》のアリ「アリー、第四代カリフ」とともに、なんと！地獄に堕《お》とされ、

〝たがのはずれた酒樽《さかだる》にしても、
私が見た男ほど真二《まっぷた》つに割れてはいなかった、
彼は頤《おとがい》から屁《へ》をひるところまで裂けているのだ。
脚の間に大腸がぶらさがり、
呑みこんだ食物を糞にする
不潔な胃袋やはらわたも見えた。
私が夢中になって彼を見つめていると、
彼も私を見返し、両の手で胸の傷口を開いて、叫んだ、
「さあ、俺が俺の体をどうやって引き裂くか見ておけ！
めった斬《ぎ》りにされたマホメットがどのようなざまか見ておけ！
俺の前を泣きながら行くのはアリーだ、〟

（地獄篇・第二八歌・平川祐弘訳・河出書房新社）

と、罰を受けているのだ。イスラム教徒が怒るのも無理がない。良識派のダンテがこのざまでは他は推して知るべし。

が、それはともかくコーランの翻訳に戻って……ある時代までヨーロッパで適切な翻訳が現われにくかったのも本当だったろう。昨今の英語訳はかなりのレベルに達しているようだ。

日本はイスラム教を特に毛嫌いはしなかったけれど、関係は薄かった。大正期に初めてコーランが訳され、今日このごろようやくその翻訳が軌道に乗り始めている。

イスラム教徒側も、今では一つの良識としてコーランの翻訳について、

「注文はありますけど、まあ、仕方ないでしょうね」

と、各国語版の存在を認めつつあるが、本心はやはり〝コーランはアラビア語で〟である。アラーがあえて荘厳《そうごん》なアラビア語を選んで全人類への啓示を垂れたのだ、という選民思想は私たち日本人には納得の届かないところもあるけれど、コーランが詩的であり、音楽であり、翻訳では会得《えとく》できない部分を相当に含んでいるのは事実であろう。こんな事情の中で、いま引用した第五五章は……リフレインのある文章は詩的

な部分が、目に見える形で〔翻訳でもわかる形で〕綴《つづ》られているところ、と言ってもよいだろう。これだけ詩的な技巧がはっきりと見えているケースはコーラン全体を通しても珍しい。これがマホメットの技巧でないとすれば、この日、アラーの神は、――今日はなんだか詩的な気分だなあ。いっちょうやってみるか――

啓示の中に詩人がよく用いる修辞法を加えたのかもしれない。あるいはマホメットのほうが詩的に聞いたのかもしれない。

先にも引用したM・ワットの〈ムハンマド〉は、こんな数行を載せている。

〃コーランは、たとえイスラム教徒の見解――それによれば、コーランはその全《すべ》てが神の降《くだ》し給《たも》うたもので、ムハンマドの意識を経ることによって変容されていないとされるが――に従ったとしても、ムハンマドおよびイスラム教徒の観点を示すものであるということは注目に価《あたい》する。これには二つの理由がある。その一つは、ムハンマドがコーランを真理であると認めたことである。たとえコーランの諸観念を創作したのは彼ではなかったとしても、それらは彼の考えを支配・形成した諸観念であった。従ってこれらの諸観念をムハンマドのそれとみなし、しかもなお同時に彼は心底それらの諸観念が彼の外部からもたらされたものだと信じていた、と述べることは相矛盾するものではない。二番目の理由は、コーランはそれが七世紀初頭のアラブに語りかけられたものであるが故《ゆえ》に、ただ単にアラビア語で表現されただけではなく、人々を非難する場合を除いては、アラブの思惟《しい》形態において、表現されたに相違ないということである。従ってわれわれはコーランの中に含まれている事象の研究により、当然ムハンマドおよび最初期の知的環境をいくらか学ぶことができる〃

ワットはイスラム教徒の心情を慮《おもんぱ》かってか遠慮がちの表現を採っているが、平たく言えば〝アラーの啓示には聞き手のマホメットの考えも含まれている、最低限これだけのことは言ってよい〃ということだ。啓示を真理だと認めた第一歩においてから、すでにマホメット自身の考えが、そこに入り込んでいたわけである。

コーランはイスラム教徒が主張するように徹頭徹尾アラーの言葉だとしても、それをどう聞いたか、文章としての表出にはマホメットの耳と脳みそも相応に関わっているはずだ、という見方である。クライシュ部族をよしとするか、敵とするか、コーランの中の微妙なちがいもそれを聞いたマホメットの心の変遷《へんせん》によっている、と考えるのは妥当であろう。

ついでに言っておけば、イスラム教にはコーランに次ぐ第二の聖典としてハディースがある。日本語訳が中公文庫（牧野信也《しんや》訳）で出版されているが、これは全六巻本、ざっとコーランの二倍の分量だ。

コーランがアラーの言葉であるのに対し、ハディースは、預言者マホメットがコーランを踏まえて語ったこと、おこなったことの集大成である。なにしろ膨大な記録だから精読はむつかしい。さまざまなトピックスが網羅的に記されているので要点の記憶もおぼつかない。ペラペラとめくって、おもしろそうなところを探っていたら、マホメットの言葉として、

〝世の終りの時の最初の前兆は何かというと、それは人を東から西へ集める火であり、天国の人々の最初の食べものは魚の肝の瘤《こぶ》である。そして、なぜ子供が父または母に似るか、については、夫が妻より先に射精するとき子供は父に似、妻が先のときは子供は母に似るのだ〟

（ハディースⅣの〈コーラン解釈の書〉より）

とか。

東のニューヨークで高層ビルが炎上したからといって人々が西のロスアンゼルスに集まるようでは前途は暗いのだ。前菜にからすみやあんきもを食べるのは天国に近いのかなあ。最後の二行は、今夜の閨房《けいぼう》の話題になるかもしれない。

# ❹ 預言者たちが行く

むかし、むかし、ユーフラテス川の上流の地にアブラハムという男が住んでいた。ある日、神の啓示を聞く。

「家を出て私の示す土地へ行け。そこで子孫を増やせ。あなたたちの繁栄を約束してやろう」

アブラハムは妻のサラと甥《おい》のロトたちを連れて西のかたカナンの地へ赴く。そして住むべき土地を神から与えられ、子孫の繁栄を願ったが、夫婦には子どもがない。

「私はもう子どもの産める年じゃないわ」

と妻が言い、夫は、

「このままじゃ困る。どうしよう」

「仕方ないわね」

妻が召使い女ハガルをさし出し、夫はその女と交わって男子をもうけた。イシュマエルと名づけられた。ところが、このあと神の恵みがあって、妻が身籠《みごも》り、男子イサクが誕生する。

腹ちがいの兄弟……。将来に禍根を残すだろう。アブラハムは苦悶《くもん》のすえ正妻サラの子を手もとに残し、ハガルとイシュマエルを遠くに行かせようと決心する。この決

定は神の意向でもあった。古い記録によれば、

〃神はアブラハムに告げた。

「あの子供とあの女のことで苦しまなくてもよい。すべてサラが言うことに聞き従いなさい。あなたの子孫はイサクによって伝えられる。しかし、あの女の息子も一つの国民の父とする。彼もあなたの子であるからだ」

アブラハムは、次の朝早く起き、パンと水の革袋を取ってハガルに与え、背中に負わせて子供を連れ去らせた。ハガルは立ち去り、ベエル・シェバの荒れ野をさまよった。革袋の水が無くなると、彼女は子供を一本の灌木《かんぼく》の下に寝かせ「わたしは子供が死ぬのを見るのは忍びない」と言って、矢の届くほど離れ、子供の方を向いて座り込んだ。彼女は子供の方を向いて座ると、声をあげて泣いた。神は子供の泣き声を聞かれ、天から神の御使いがハガルに呼びかけて言った。

「ハガルよ、どうしたのか。恐れることはない。神はあそこにいる子供の泣き声を聞かれた。立って行って、あの子を抱き上げ、お前の腕でしっかり抱き締めてやりなさい。わたしは、必ずあの子を大きな国民とする」

神がハガルの目を開かれたので、彼女は水のある井戸を見つけた。彼女は行っ

て革袋に水を満たし、子供に飲ませた。神がその子と共におられたので、その子は成長し、荒れ野に住んで弓を射る者となった。彼がパランの荒れ野に住んでいたとき、母は彼のために妻をエジプトの国から迎えた〃

とあって、この後のイシュマエルとその子孫の繁栄が暗示されている。これがアラブ人の始祖であり、マホメットもその末裔《まつえい》ということになっている。

たったいま〃古い記録によれば〃などとこざかしい韜晦《とうかい》を弄《ろう》したが、これは旧約聖書である。引用は創世記の二一章からであり、記されている内容はユダヤ教およびキリスト教の伝承である。だが、これは同時にイスラム教の伝承でもあり、アブラハムはイブラーヒーム、イシュマエルはイスマーイールとしてコーランにも登場している。

これが悩ましい。

もっと悩ましいのは、これより何年かのち「と推察されるのだが、同じく旧約聖書によると」神の託宣がアブラハムに下り、

「一人息子をいけにえとして神に捧《ささ》げるように」

と命じられる。アブラハムは、

――なんで大切な一人息子を――

と嘆くが、神の命令には逆らえない。アブラハムはどこまでも敬虔《けいけん》な神の下僕《しもべ》であったのだから……。

アブラハムは息子を連れ、今日のエルサレムに近いモリヤの山に赴き、そこで息子を殺そうとする。が、その瞬間、神の声が聞こえ、

「待て。その子に手をかけるな」

アブラハムはわが子イサクを抱きしめる。神はアブラハムの忠誠心を試したのであり、このことがあって以後、アブラハム、イサク、そしてその子孫は一層深く神の寵《ちよう》愛《あい》を受けるようになった……と、これまた旧約聖書の創世記にある劇的なエピソードである。

だが、コーランでは……つまりイスラム教の立場では、このイサクがイスマーイールに変わっている。砂漠に追いやられ、アラブ人の始祖となった、あの息子のほうである。コーランでもイスハーク「イサク」とイスマーイールの二人が母ちがいの兄弟であることは認めているけれど、正妻だの妾腹《しようふく》だのということには、こだわっていない。

先に生まれたのがイスマーイールであり、次がイスハークだ。そしてモリヤ山のいけにえ劇は当然イスハークが生まれる前のこと、つまり息子が一人であったときのこ

とであり、このあとイスマーイールは父と一緒にアラビア半島を南へ旅してメッカに到《いた》り、カアバ神殿の建立《こんりゅう》に関わっている、と、コーランはほのめかしている。やがて二番目の息子イスハークが生まれ、イスマーイールが母とともに砂漠に追われたのは、当然このあとのこと、となるわけだ。そしてイスハークの子孫がユダヤ民族へと繋《つな》がっていくのだから、

「へえー。つまりユダヤとイスラムの争いってのは、正妻の子と妾腹の子の対立から始まっているのか」

と、下世話な判断が飛び出しかねないけれど、そう言って言えないこともない。ユダヤ教の側から言えば「キリスト教も同じだが」

「毎度のことだけど、コーランはおれたちの聖典のいいところを抜いて、勝手に自分たちの話にしてるわ」

となるし、イスラム教の側では、

「真実は、一つ。アラーはすべてお見通しなのよ。第一、モリヤ山では、神は〝一人息子を捧げよ〟と言って試したのよ。イブラーヒームに息子が二人いたら話がおかしいじゃない。いけにえにする重みがぜんぜんちがうじゃないの。旧約聖書のほうがいい加減な伝説をもとにして作ったのよ」

なにしろ三千年以上も昔のことだから、今さらどうこう言っても判じようがない。現在のイスラエルの首都エルサレムはユダヤ教、キリスト教、イスラム教の聖地と目されている。ユダヤ教とキリスト教がこの地にゆかりがあるのはよくわかるけれど、イスラム教は……そう、たとえば、たったいま記したエピソード……民族の始祖イブラーヒームとイスマーイール父子が神への忠誠を示したのがエルサレムのあたり、それゆえにマホメットがこの地を尊び、今はメッカ、メディナに次ぐ第三の聖地とされている、という事情である。

話は飛躍するけれど、仏教には大乗と小乗の区分がある。ある日、あるとき、私は、

――小乗の人は自分たちのことを〝小〟乗と言うかなあ――

と訝《いぶか》しく思った。

調べてみると、その通り、歴史的には西暦前一世紀ごろのインドで新しい流派が誕生したとき、その支持者たちが自分たちは大きな乗り物に乗っているとし、そうでない流派を小さな乗り物に乗っている、と蔑称《べっしょう》したことから始まっている。もちろん、ここで言う乗り物とは拠《よ》りどころとなる思想・哲学のことだ。となると、大乗はともかく、小乗はあまり大っぴらに使ってよい用語ではないのかもしれない。が、二つな

がら便利な用語でもある。大乗は広く人間全体の救済を主眼とする立場であり、自己の解脱《げだつ》に傾くのが目的ではない。一方、小乗は自己の悟りが第一だ、自分自身の内面的な上昇こそが肝要となる。二つは、外に向かうもの、と、内に向かうもの、と言ってもよいだろう。宗教にはつねにこの二つの方向性が備わっているように思う。

ヒラー山で初めて神の啓示を受けたマホメットは、それから三年間、あえて仏教的用語を用いれば、自分自身と家族、周辺の知人たちを相手に〝小乗的〟な活動に留まっていたのではなかったろうか。この期間の啓示も、イスラムの本質を説き、それをよく理解し神のもとに身を清く正しく養うことを命じている。

三年を経て、マホメットは神の教えを広く民衆に訴え、社会を救済する方向へと傾く。啓示も次第にそれにふさわしいものへと移っていく。力点を変えていく。言ってみれば、大乗的な傾向を帯びる。

この歴史を踏まえてコーランの内容を分けてみよう。最初の啓示から民衆伝道までの三年間を第一期、それからヒジュラまでの九年間を第二期、そしてマホメットの死までの十年間を第三期、三つに分類するとわかりやすい。前の二つはマホメットがメッカにいた時期のことなのでまとめてメッカ啓示、あとの一つはメディナにあったのでメディナ啓示と、二つだけに分ける分類法が広く採用されているが、このエッセイでは三分類法を採ろうと、このことはすでに第3話で触れ、第一期の特徴についても同じ第3話で述べた。変わってここでは第二期に視線を向けてみよう。

この時期の特徴は……圧倒的に分量が多い、しばしば啓示が下っている、ということだ。

大ざっぱに比較すれば〔またがっているものもあって、厳密な算定はむつかしいが〕、第一期の三年間は章で数えて一三章、節で数えて二二〇節くらい、第二期の九年間はざっと八〇章、四五〇〇節、第三期は十年間だが、啓示のほうはざっと二五章、一五〇〇節と第二期より少ない。

さて、その第二期はマホメットにとって苦しい情況の中で足もとを固め、活路を探るときであったから、いきおいアラーの応援も繁《しげ》く送られた、という事情だったろう。内容面での特徴は、説話的なこと、つまりいろいろなお話を手がかりにして神の教えが説かれている。民衆にはこれがわかりやすい。浸透しやすい。仏教説話、聖書物語、古事記の神話、みんなそうである。

イスラムの場合は、ほとんどが預言者のお話、しかも、そのあらかたが旧約聖書〔ユダヤ教の聖典も同じ〕の登場人物である。コーランには都合二十五人の預言者が登場するが、その内訳は旧約聖書から十五人、新約聖書から三人、アラブ世界の伝説

から三人、名前だけで正体がよくわからないケースが三人、そしてマホメット自身である。まことに、まことに、

「旧約聖書を利用している」

と言われても仕方のない情況なのだが、コーランの立場は〝ユダヤ教［キリスト教も］を否定するものではなく、完成するものである〟なのだ。ありていに言えば、ずーっと昔から［時間を超え空間を超え］同じ唯一神《ゆいいっしん》の支配が続いているのであり、ユダヤ教とかキリスト教とか、いくつかのプレゼンテーションがあって神は預言者を何度も地上に送って警告を発し続けたが、いっこうに教えが実現しなかった。そこで最後にして絶対的な教えであるコーランを送り、同じく、最終にして絶対の預言者マホメットを遣わして今までの教えを完成するのだ、なのである。旧約聖書のヒーローが何人登場しようと、苦しゅうない。当然の帰着、となる。冒頭に挙げたイブラーヒーム［アブラハム］たちのエピソードも、この流れの中で捕らえてほしい。


現実問題として七世紀マホメット登場以前のアラブ社会では、ほかの宗教も信仰されていただろう。メッカはカアバ神殿を擁し、古くからの宗教都市であったから余計にほかの宗教を見聞する機会は多かったろう。しかし宗教にも原始的なものと成熟したものとがある。呪術《じゅじゅつ》的な幼稚な信仰と深い思想に裏打ちされたものとがある。本気

で取り組むとなれば、おのずと頼りになるものと、頼りにならないものとが見えてくるはずだ。

マホメットの目には……と言うよりアラーには一神教であることがなによりも大切、それ以外はこのハードルだけでペケ、結果ユダヤ教［キリスト教も］の系列だけが、ともに語りうるものであったにちがいない。

アラビア半島にはユダヤ教徒［キリスト教徒も］が実在していたし、唯一神を仰ぐこの教えが宗教として、エピソードとして、ある程度までアラブの民衆のあいだに知られていた。イブラーヒームは何者か、イスマーイールがなにをしたか、くわしく知っている人は少なかったろうが、なんとなく耳には伝わっていたにちがいない。それを利用しない手があるものか。それぞれが歴史の中に現われた［とされる］預言者たちなのだから……。

私の見たところ、アラーのお気に入りは、イブラーヒーム、ムーサー［モーセ］、イーサー［イエス］。この三人がコーラン全体を通して繁く登場している。イブラーヒームは邪教のはびこる土地で唯一神の啓示を聞き、それに従って故郷を捨て家を捨て、ひたすら神の教えに従った創始者、マホメットが倣《なら》うにふさわしい。ムーサーは旧約聖書最大の英雄であり、エジプトを脱して海を割ったエピソードはアラブ人にとっても身近だったろう。イーサーはキリスト教の普及を考えれば触れずにはいられまい。

この三人に次いでルート〔ロト〕、エジプトに入ったユースフ〔ヨセフ〕、イスマーイール、ヌーフ〔ノア〕などがよく語られている。

イブラーヒームは先に紹介したから、ここではムーサーのエピソードを……いろいろある中からとりあえず第二八章〈物語〉を選んで覗《のぞ》いてみよう。

横暴を極めるエジプト王フィルアウン〔ファラオ〕はユダヤ人を迫害し、男の子の皆殺しを命じた。ムーサーの母は生まれたばかりの子をアラーのお告げにより川に投ずる。フィルアウンの家族が拾いあげ、賢い子と見て育てることにしたけれど、乳の出る乳母がいない。本当の母が乳母となって、育てることとなったが、これもみなアラーの計らいであった。ムーサーは英知に溢《あふ》れる若者に育つ。そして、ある日ユダヤ人とエジプト人の喧嘩《けんか》に加担してエジプト人を殺してしまう。理由はどうあれ、人を殺した罪は大きい。ムーサーがアラーの前で悔い、ひたすら許しを請《こ》うたのは殊勝であった。その真心を見て寛大なアラーはムーサーに恵みを垂れる。エジプト人たちに命を狙《ねら》われていることを知らされたムーサーは町を去り水汲《みずく》み場で家畜に水をやれずに困っているアラブ人の姉妹を見て助ける。それが縁で姉妹の父の家に行き、そこで八年間〔あるいは十年間〕働き、姉妹のどちらかをもらい受ける約束を結ぶ。約束の期間を終えたムーサーが家族を連れて旅に出ると、山中で火が燃えており、ムーサーは近づく。

〝「おお、ムーサーよ。私は万有の主アラーだ。
さあ、おまえの杖《つえ》を投げてみよ」その通り投げると、杖は蛇のように動く。ムーサーは逃げ出し、ふりむこうともしない。すると「ムーサーよ。こっちに来い。怖がることはない。おまえは守られている。
手を懐《ふところ》に入れてみよ。まっ白になっているだろう。恐れがあるなら両腕で胸を締めつけるがよい。きっと気が落ちつく。いま見た蛇と白い手は、おまえが神の加護を受けていることの証明だ。フィルアウンと長老たちに見せつけてやるがよい。まったくあの連中は神に背く者どもだ」〟

（第二八章〈物語〉第三〇〜三二節）

と、フィルアウンとの対決を命じ、そこにアラーの加護があることを伝えた。ムーサーは自分より弁の立つハールーン〔アロン〕の同行を申し出て、ハールーンもアラーの加護を受ける者として力を与えられる。

ここまでは旧約聖書の〈出エジプト記〉とほとんど同一であり、あえて言えば旧約聖書が著しくストーリー性に富んでいるのに対し、アラーは血湧《わ》き肉躍るストーリーの開陳にはあまり関心がないらしく、出来事の断片を語っている印象が拭《ぬぐ》いきれない。さらにムーサーの物語が進展し、

――いよいよ、クライマックスが近づいたぞ――

と、胸を弾ませていると、これもそれほどのストーリーではない。コーランの中のフィルアウンはムーサーに会って奇跡を見せられアラーの力を説明されても、それをただの魔術と考え、

「こいつら、嘘《うそ》つきだぞ」

と信じない。ムーサーたちを迫害し、軍勢をさし向ける。ふたたびコーランから引用すれば、

〝フィルアウンと配下の軍勢はともに専横をきわめ、自分たちの行きつく先がアラーの御もとであることを考えなかった。

そこで神はフィルアウンと彼の軍勢を捕らえ海に投げ込んでやった。見るがよ

い、悪をなす者たちの末路を。

神はまた彼等をまっ先に立てて地獄の業火《ごうか》にあぶられる者たちとした。復活の日に彼等はけっして助けられることはない。

現世でも神は彼等に呪《のろ》いをかけ、ひどいめにあわせたが、復活の日にはさらに呪われる者となるだろう。

神はこれまでにも過ぎし時代の人々をたくさん滅ぼしてきたが、ある日、いよいよムーサーを遣わして啓典を示し、人々の目を開いて恵みを垂れようとした。人々がきっと訓戒を受け入れるだろうと考えたからだ。

だが、そのとき、すなわち神がムーサーに天意を伝えたとき、マホメットよ、あなたはシナイ山の西の谷にいたわけではない。証人となりうる立場ではなかった〃

（第二八章〈物語〉第三九〜四四節）


となっていて、海まっ二つもないし、シナイ山の十戒もない。

先に第二期の啓示は説話的であると述べたが、それはあくまでも〃コーランとしては〃という限定の中でのことであり、アラーの言葉は、むしろムーサーの故事についてマホメットが〝シナイ山の西側に〟いなかったのに……つまり現場に居合わせたわけでもないのに、ちゃんと出来事を知っていること、それこそがマホメットが神の啓示を受けている証拠である、アラーはいつもこのように預言者を送り何度も何度も警告を与えているのだ、と信仰の本筋のほうへ力点を移していく。そして、ああ、それなのに、どいつもこいつも不心得者ばかりで、こともあろうに、

「前もって、ちゃんと教えておいてくれたら、私たちもまちがった道を踏まなかったのに」

などと、ほざく。なんたる愚かさか。論より証拠、今、あなたたちの前にマホメットがいること自体、それが神の深い恵みだというのに……と続く。

興味深いのは、このくだりで、

〝たった今、神はメッカに住む人々に広くアラーの言葉を届けた。きっと彼等が神の訓戒を受け入れるだろうと考えてのことだ。

神がこれまでに啓典を授けた人々、たとえばユダヤ教徒やキリスト教徒はよく信仰を守っている。

そして彼等にアラーの言葉が届くと彼等はこぞって「これこそが真理です。私

たちは信じます。考えてみれば、私たちはこの言葉を聞く前からすでにイスラム教徒でした」と言う〃

（第二八章〈物語〉第五一〜五三節）

と綴《つづ》っていることだ。〃神がこれまでに啓典を授けた人々〃とは先にも述べたようにユダヤ教徒やキリスト教徒のこと。マッカ［メッカ］にいるユダヤ教徒やキリスト教徒にコーランの言葉を届けたところ、という情況を言っているのである。私としては、

――なるほどなア。当然そういうことになるだろうなあ――

と頷《うなず》いてしまう。

つまりユダヤ教徒やキリスト教徒にしてみれば、マホメットからアラーの啓示を聞かされ、その教えを説かれたとき、それが古くから一貫して続く神の言葉であり、その完成であり、それがイスラムであると言われれば［もしその教徒が素朴な性格の持ち主であったならば］

「じゃあ、私たちは以前からイスラム教徒だったわけですね」

と思うはずである。説諭の内容は基本的にこれまでの信仰と同じだと言うのだから

……。モーセもイエスもみんな同じ神が同じ意図で下した預言者であり、マホメットもその最後の一人だと言うのだから……。こういう人々の反応に対してアラーとしては「その通り、当たり前だろ」と頷くにちがいない。そして、

〝こういう人たちには神より二倍の報奨が与えられよう〟

（第二八章〈物語〉第五四節）

と褒め称《たた》えている。

もしかしたら、このくだりはマホメットが布教活動の中で実際に体験した反応だったのかもしれない、と想像をたくましくしてしまう。

このあと〈物語〉の章は、これも旧約聖書に登場しているカールーン〔コラ〕という男に触れ、アラーの偉大さを訴えている。コラはモーセに反発した男で、瀆神《とくしん》の言動は著しかった。旧約聖書ではモーセをして、

「もしこの者たち〔コラたち〕が人の普通の死に方で死に、人の普通の運命に会うならば、主がわたしを遣わされたのではない。だが、もし主が新しいことを創始されて、大地が口を開き、彼らと彼らに属するものすべてを呑《の》み込み、彼らが生きたまま陰府《よみ》

ムーサーとイーサー

に落ちるならば、この者たちが主をないがしろにしたことをあなたたちは知るであろう」（民数記一六章・二九〜三〇）

と言わしめた男である。

モーセがこう言い終ったとたん、大地が裂け、コラたちを家もろとも飲み込み、すぐさま口を閉じた、と、すこぶるドラマチックな最期《さいご》をとげている。つまり、モーセの言葉通り神がコラたちを地下に落とし奇跡を示した、と旧約聖書は告げているのだ。が、コーランは特にこの事件をつまびらかにすることもなく、カールーンをほのめかしたまま、

「アラー以外にどんな神があるのか」

と、イスラムの真理を訴えることに熱心である。ドラマチックなストーリー展開はない。

おそらく旧約聖書が、物語を綴りながらユダヤの歴史を詳説し、

「私たちは、このように古くから神の恵みを受けていたのです」

神と一族の優位性をわかりやすく述べたのに対し、コーランは物語の信憑性《しんぴょうせい》なんか、まどろこしい、ちょっと性急にイスラムの真理を激白している、という印象である。

言うまでもなく、この時期はマホメットにとって、のるかそるかの苦しいときであ

った。神の啓示を聞き、自分の中に一定の倫理を培《つちか》い、それを家族や周辺に説いているうちはまだよかったけれど、それを超えて民衆を、社会を啓蒙《けいもう》しようとなると一筋縄ではいかない。おそらく当初は新しい宗教を興《お》こすのではなく、既成の宗教の改革・浄化くらいの構想ではなかったのだろうか。しかし、その程度ではらちがあきそうもない。小出しに訴えていると、簡単につぶされてしまう。こっちがヴォルテージを高めれば相手もヴォルテージを高くする。それに対抗するため、さらにこちらはヴォルテージを高めなければならない。これは処世の物理学だ。いきおいアラーの啓示も、ストーリーなんかに深くはつきあっていられない。直截《ちょくせつ》を選び、叱咤《しった》激励に傾く。第二期の啓示は、いろいろな人物や事件に触れて説話的ではあるけれど、説話をつまびらかにしてそれを啓蒙的に利用することに、それほど熱心であったとは思えない。みんなが知っているエピソードを引きあいに出し、お話の枕《まくら》にしているような気配が濃い。

マホメットにとっては新しい宗教の確立こそが急務だ。神の使命を背負っている。啓示もまたまっすぐにそれを命じている。日ごと夜ごとに「立て！」と促している。

しかし抵抗も大きい。部族の枠を超えて活動するのがすこぶるむつかしい当時のアラブ社会で、自分の根っこでもあるクライシュ部族の有力者が次第に牙《きば》をあらわにし始めたから始末がわるい。マホメットは嘲笑《ちょうしょう》され、馬鹿者《ばかもの》扱いを受け、命まで狙《ねら》われる。潜行を余儀なくされる。マホメットの人柄のよさを知って匿《かくま》ってくれる人も「布教活動はやめてくれ」と条件をつける。にっちもさっちもいかない情況が続いていた。

第三六章〈ヤー・スィーン〉は、まさしくこの時期の啓示であり、コーランの心臓と称されている。特別に重要視され、日常繁《しげ》く読誦《どくじゅ》されているものだ。〈ヤー・スィーン〉はYとS、なにを略し、なにを意味しているかわからない。神秘の暗号と解されている。全八三節にはとりわけ特徴的な文言が記されているわけではないけれど、力強く、またわかりやすくイスラムの真髄を説き、第二期を代表するにふさわしい。まずマホメットの役割を説く。

〝ヤー・スィーン。
英知あふれるコーランに賭《か》けて、
マホメットよ、あなたは神の使徒であり、
正しい道をたどる人だ。
全知全能の神の啓示を受けて、

アラビア人に警告を与える者。アラビア人は、その父祖のころには神の教えを受けることが乏しく、神についての思慮が足りなかった。

いや、実際には神の教えを受けていたのだが、それを少しも信じようとしない、ていたらく。

いくら首枷《くびかせ》をかけられても、顎《あご》が固定され頭があがり高慢の高みしか見ることができない。

神は彼等の前に壁を立て、うしろにも壁を立て、さらにすっぽりと包んでしまった。だから、なにも見えない。

どの道、同じこと、見えても見えなくても、警告してもしなくても、彼等は信じない。

だから、マホメットよ、あなたは訓戒に従う者だけを、そしてたとえ目に見えなくとも、慈悲深い神をおそれ信ずる者だけを相手に警告を与えるがよい。そういう者たちにだけあの吉報を、偉大な神の報奨を伝えてやるがよい〃

（第三六章〈ヤー・スィーン〉第一〜一一節）

首枷は厳しい訓戒の比喩《ひゆ》だろう。そしていくら厳しい訓戒を与えても、愚か者は逆に高慢の高みを望むばかり。そこでなにも見えなくして、見えない神をどう信ずるか試してみた。結果は同じこと、マホメットよ、信ずる者だけに神の吉報を届ければそれでよい、という大意である。

コーランの教えはマホメットに対するものであると同時に、そのむこうにいる民衆を充分に意識している。マホメットを通して民衆に伝えようとしている。あるいはマホメットに「民衆にはこう対処しなさい」とノウ・ハウを授けているようなところもある。

アラーは、この章で一つのたとえ話として、ある町に使徒を遣わしたときのことを話す。

略述すれば……まず二人の使徒を送った。町の人が二人の使徒を嘘つき呼ばわりしたので、さらにもう一人を送ったが、結果は変わらない。町の人々は、

「三人も来たけど、みんな私たちと同じ人間じゃないの。いい加減なことほざいて。ただのほら吹きとちがう？　この人たち」

「もったいない。全知全能の神アラーの教えなんですよ」

と反論しても、

「こんな連中が町にやって来るのは、よくないことが起きる前兆かもよ。石で打って

殺そうかね」

町の外からもう一人が走って来て、

「この人たちは本当の使徒ですよ。なんの報酬もないのに皆さんを救おうとしているのですから」

しかし、町の人は嘲笑するばかりであった……。

このくだりは特定の使徒伝説を指しているのではなく、むしろ長い時間、広い地域の中で二人の使徒が遣わされ、さらにもう一人を加え、それを保証する人まで送ったのに……つまり歴史を顧みれば神が回を重ねてどれほど懇切丁寧に恵みを垂れ続け、忠告を送ったか、明白なことなのに、人々はなんにもわかっちゃいない。今、マホメットが町にいるのも、このくり返しの、いよいよ最後の段なんですよ、であろう。勝手なことをしていると、どうせ最後の審判でひどいめにあうだけなのに……と神は嘆いている。ついで神の全知全能を明らかにして、

〝夜は神の御業《みわざ》、昼を取り去ると、人々はまっ暗闇《くらやみ》に置かれる。

また太陽はみずからの休みどころを目ざして日ごとに運行する。これも全知全能の神の計らい。

そして月もまた天宮を通って運行し、細く曲がったなつめやしの実のようになって帰ってくる。

太陽は月に追いつかず、夜は昼を追い抜くわけにいかない。それぞれが蒼穹《そうきゅう》を泳いでいる。これもまた神の御業。

またヌーフ（ノア）の箱舟に必要なものを満載して一族を運んだのも神の御業。

そして舟によく似た砂漠の乗り物、駱駝《らくだ》もまた神が創《つく》ったもの。

神が欲すれば、陸の上でも海の上でもおまえたちを溺《おぼ》れさせることができる。

助ける者はだれ一人なく、けっして救われない。

人の命など、神の慈悲に委《ゆだ》ねられた束《つか》の間《ま》でしかない。

だからこそ「将来のこと、過去のこと、おそれをもって見つめよ」と言っても、

耳を貸すどころか、

神の御業をいくつ示されても、背を向けているばかり〟

（第三六章〈ヤー・スィーン〉第三七～四六節）

夜を創り昼を創り、太陽を昇らせ月を掲げたのはアラーの誇りである。また満載した舟、すなわちヌーフの箱舟もアラーの御恵みである。私なんか、

――本当にみんなアラーの御業なのかなあ――
と疑ってしまうけれど、これぱかりはなんとも言えない。そうでないと主張する根拠はどこにもない。

夜があり昼があり、太陽があり月があり、いっさいが実在している以上、だれかそれを創ったものがいるのではないのか。そしてそれを創ったサムボディをアラーと定義すれば「それが何者であれ」アラーがすべてをお創りになった、という論理は形式的に筋が通っている。ヌーフの箱舟も同様だ。

このあと、この章では……いつ最後の審判が開かれるか、これもアラーの思召《おぼしめ》し次第、そのときが来てうろたえても、もうどうにもならない。不心得者には厳罰が、神を信じた者には楽園が、きっかりと用意されている。なのに、どうして人々は悪魔の誘いにたやすく乗ってしまうのか。人間であれ、天地であれ、創った者はそれを熟知していて当然、創ったくらいだからなくすることもやさしい。創りなおすことも……人間なら生き返らせることもやさしい。

〝神がなにかを望まれたとき「有《あ》れ」と命じられれば、それは有る。
アラーにこそ、あらゆる力が備わっている。称《たた》えよ。おまえたちはみんなアラ

ーの御もとに帰されるのだから〃
（第三六章〈ヤー・スィーン〉第八二〜八三節）

と、この章は終わっている。有るのも消すのもアラーの御心次第なのだ。

ところで話は唐突に飛躍するけれど、万葉の女流歌人・額田王《ぬかたのおおきみ》が詠《よ》んだ歌を一つ、例に挙げてみよう。

あかねさす紫野行き標野《しめの》行き
野守《のもり》は見ずや君が袖《そで》振る

折り紙つきの名歌である。とはいえ意味内容を探ってみると〃あなた、そんなに派手に恋の合図を送って、厭《いや》ね、人が見てますよ〃くらいのことである。素朴な恋の姿が見えて、ほほえましいと言えば、その通りだが、さほどの内容ではあるまい。

だが、よいのである。よい歌なのである。

なぜかと言えば、詩歌というものは［すべてがそうだとは言わないが］月並のことでもかまわない、論理的でなくてもかまわない、言葉の美しさ、調子の快さ、イメージのすばらしさなどなどで直接私たちの感性に訴えて感動を与えるところに特徴がある。額田王の歌はくちずさんで、わけもなくこころよい。これが一番適切な例かどうかはともかく、名歌の名歌たる所以《ゆえん》はそのあたりに伏在している。

なにが言いたいのかと言えば、コーランは詩歌であり、神の音楽でもある。朗誦《ろうしょう》されて、快く響くこと、それが一つの価値であることはつとに力説されている。たったいま引用した第三六章〈ヤー・スィーン〉は意味内容が明快であるばかりでなく、この面で特に優れている……らしい。〝らしい〟というのは、日本人の私には、いや、ほとんどの日本人には、この評価はむつかしい。

「第三六章は詩歌としてすばらしいんです」

と、アラビア語を母国語とする知人に教えられて、

「はあ、そうなんですか」

きっとそうなんだろうな、と信ずるよりほかにない。意味内容だけをたどってみると、

――アラーの神様なら、きっとこう言うだろうな――

であり、月並と言えばおおむね月並だ。論理のたどりにくいところや文脈の乱れも

でも、詩歌的な響きにおいて優れている、と言われれば、私たちは「わからないなりに」その力を軽視してはなるまい、と思う。

言っちゃあわるいが、神の言葉なんてものは、歴史の古今、洋の東西を通して、論理を越えていることが多いし、よくわかるときは、

——ああ、また、そのことね——

と、毎度おなじみであったりする。だが、そこに深遠な感動を持たせるのは詩の力、むしろ音声の力である。極論をすれば、詩歌として美しくない神の言葉は、神の言葉として認めにくい、とまで言ってよい、と私は思う。

私が初めてコーランの朗誦を聞いたのは、十数年前、トルコのアンタキヤのホテルだった。前夜遅く到着し、朝早くいきなり耳もとで聞いた。窓のすぐ外にスピーカーがあるらしく朗々と詠じていた。朝の祈りらしい。

いきなり目ざめさせられて、ちょっと不愉快であったが、聞き続けるうちに、

——わるくない——

と思った。

——なかなか美しい歌だなあ——

と感動した。

同じような体験を持つ人も多いにちがいない。意味がわからなくても、おごそかで、心が洗われる。これはコーランの朗誦についてよく聞く感想である。ここでは、

「第三六章がその代表例らしいですよ」

とだけしか言えないのが残念である。

第二期の啓示の中から、もう一つ、ユニークなものとして第一七章〈夜の旅〉を拾っておこう。冒頭にこう記されている。

〝アラーに栄光あれ。アラーは、ある夜その下僕なるマホメットを召してメッカの聖堂からはるか遠くの聖堂まで空の旅をさせた。神の御業をまのあたりに示すためであった。まことに全知に優れ全能の神であることよ〟

（第一七章〈夜の旅〉第一節）

とあって、ここではアラーが、マホメットをしてメッカのカアバ神殿から、はるか遠くエルサレムの神殿へと旅をさせたことを示している。

六二二年のヒジュラより一年二カ月ほど前〔つまり第二期の終りもそう遠くないころ〕ある夜マホメットがカアバ神殿の近くで眠っていると、アラーの命令を受けた天使ジブリール〔ガブリエル〕が現われ、マホメットはその案内で遠くエルサレムの神殿まで空を飛び、さらに天へと昇った。コーランの全章を通してマホメットは、偉大な預言者であるけれど、属性としては私たちと同じ普通の人間であり、みずからがこういう超自然的な奇跡の体現者となるケースは少ないのだが、ここではアラーの思召しがあって、それが実現されている。それゆえに、これはレベルの高い夢のようなものだ、という見方もある。

マホメットの体験だからコーランはつまびらかに記していないけれど……つまりコーランはアラーがマホメットに伝えたことであり、マホメットの体験をわざわざマホメットに伝える必要はほとんどないわけだから、この夜の旅についてはいま引用したくらい、詳細を伝えていないけれど、イスラムのもう一つの聖典ハディースにはくわしい。何カ所かに分けて記されているのだが、おおよそのところは、その夜、マホメットはジブリールに呼び起こされ胸を引き裂かれる。ザムザムの泉で心臓を洗い清められ、信仰の知恵を吹き込まれたのち、白い天馬ブラークに乗せられ、エルサレムの神殿へと飛んだ。さらに高く天空に向かい、第一の天から第七の天までを訪ね、アーダム〔アダム〕、イーサー〔イエス〕とヤフヤー〔ヨハネ〕、ユースフ〔ヨセフ〕、イドリース〔エノク〕、ハールーン〔アロン〕、ムーサー、イブラーヒームに会った。

すべてが旧・新約聖書の登場人物である。イブラーヒームと会ったときには、天界の涯《はて》を示すシドラの木を見ている。実は大きな甕《かめ》のよう、葉は象の耳のよう、その下に四本の川が流れ、地下を流れる二本は天国を潤《うるお》し、地上を流れる二本はナイル川とユーフラテス川へ続く、と、これはジブリールから教えられた。マホメットは一日五十回の礼拝を課せられたが、ムーサーがやって来て、

「私は人間たちのこと、よく知ってるけど、日に五十回は無理だね。主にお願いして、もうちょっと少なめにしてもらったほうがいいでしょう」

と、さすがに苦労人である。マホメットは結局五回にまで負けてもらったようだ。

主はそれでも、

「善行に対して十倍の恵みを与えよう」

と約束してくれた。

マホメットはほかの預言者たちとも胸襟《きょうきん》を開いて、いろいろ話しあったのではないのか。それとも目と目を合わせただけで通じあうものがあったのかもしれない。

それを反映するかのようにコーランの〈夜の旅〉では、マホメットの昇天に触れた

あと、

「よく思い出せよ」

とばかりにムーサー、ヌーフの名を挙げ、二人がイスラエルの子孫に啓示を与えたことを言い、第四節以降はしっかりと神の詩的にして音楽的な説教へと移っていく。こちらのほうは、まあ、それほど特別な内容ではない。私としては、

――もう少し夜の旅について細かく教えてほしかったなあ――

ですね。なにしろメッカからエルサレムと言えば、直線距離で計っても千二百キロ余り、東京から稚内《わっかない》くらいだ、砂漠地方の夜空はまさに降るほどの星の煌《きらめ》きで溢《あふ》れていただろう。そのあとの昇天となると、さらに不思議な光景が見えたのではあるまいか、と余計な想像をめぐらしてしまう。


現在のエルサレムを訪ねると、旧市街には嘆きの壁、聖墳墓教会、岩のドームなど三大宗教の並々ならない名所が密集している。半球形・金色の屋根を持つのがイスラムの聖所、岩のドームだ。中へ入ると、直径十メートルくらいの扁平《へんぺい》な岩が置いてある。マホメットはこの岩から昇天した、とか。

ドームが造られたのはマホメットの死後のことだが、巨岩のほうは、なんと！　天地創造のあと追放されたアーダムがこの上に立ったとか、イブラーヒームがこの岩の

上で息子をいけにえに捧《ささ》げようとしたとか、マホメット以前の伝説もある。マホメットが十九本の金の釘《くぎ》をここに打ち込み、

「この釘がすべてなくなったとき、世界はふたたび混沌《こんとん》に陥るぞ」

と言い残したとも伝えられている。現在、三本だけ残っているとのこと……。このドームはまことに、まことに伝説的な由緒《ゆいしょ》が深いのである。

イスラム教徒が日に五回おこなう礼拝は世界中どこにいてもメッカのカアバ神殿のほうへ向かって、となっているが、いっときは、エルサレムの岩のドームに向けて祈っていた。この件については、またあとで触れよう。

以上、コーランの第二期の啓示を瞥見《べっけん》し、いよいよ歴史的なヒジュラが近づいて来た。メッカで迫害を受け、潜行さえしていたマホメットがメディナに移り、大がかりな布教活動が始まる。啓示の内容もおのずと異なって、これを便宜的に第三期と分類することをお許しいただきたい。

❺ 妻を娶《めと》らば

イヴ・モンタンが主演した映画に〈恐怖の報酬〉があった。アンリ・G・クルーゾ監督。話題のスリラー映画だったから、ご記憶のかたも多いことだろう。

中央アメリカの煤《すす》けた町。流れ者たちが希望のない生活を送っている。その町から五百キロ離れた山中に巨大な採油工場があり、火事が起きる。ニトログリセリンの爆風で消火するよりほかにない。トラックでニトログリセリンを運ぶ運転手が募集される。ニトログリセリンはほんの少し揺れるだけで爆発を起こしかねない危険な液体。報酬は高いが、命がけの運送だ。それでも流れ者たちは現状からの脱出を願って多数が応募し、モンタンほか三人が選ばれ、二台のトラックに乗って出発する。いつ荷台のニトログリセリンが爆発するかわからない。事実、一台は途中でふっ飛んでしまう。一瞬、一瞬、恐怖が募って、モンタンのトラックだけが、かろうじて目的地にたどりつく。相棒は途中で負った怪我《けが》で死に、モンタンだけが報酬を得て、帰り道を急ぐが、喜びのあまり一瞬の油断が生じ、トラックは谷底へ……というあら筋だった。

文字通りスリリングな映画だったけれど、この映画、前半の二、三十分は、まことに退屈の極みだった。ただ、ただ、流れ者たちの、すさんだ生活だけがだらだらと映されている。

――テレビだったら、確実にチャンネルを変えられるな――

と思った。

だが、見終って思い直してみると、

――なるほど、あの退屈さも制作者の意図したことだったんだ――

と納得した。

来る日も来る日も希望のない、灰色の時間にだけ浸されているからこそ、流れ者たちは命がけの仕事に手を出す。その動機づけを映画の観客にも味わってもらい、そのうえで後半に息もつけないほどのスリリングな瞬間の連続を提示しようとしたのではないのか。

――退屈さ、それ自体に意味のある場合もあるんだ――

と、私は考えている。

さて、コーラン。コーランも冗長と言えば、冗長に映るところがある。〈恐怖の報酬〉の場合とは事情がまるでちがっているけれど、この長々しさにも一定の意味があるのではないのか。遠い時代の砂漠の民には、私たちの文明とはまたちがった時間が流れていただろう。ゆったりと、くり返して朗唱することにこそ意味がある。こざかしい説得を超えた、もう一つの目的があったのかもしれない。おまえたち、せかせかするんじゃないぞ、と……。なにしろコーランは神の言葉なのだから、人智《じんち》では計り知れない部分があっても不思議はない。

ところで、私の、このエッセイは、コーランをやさしく、わかりやすくダイジェストして提示することを目的としている。なのに長ったらしいことそのものに意味があるとしたら、ダイジェストはなんとしよう。長さが特徴であるものを切って刻んで、よいものか。ダイジェストには向かない。コーランには確かにそういう特徴が感じられる。

さあ、困った。

そこで、一思案。一章くらい、充分に長い章をまるごと、すっかり、これがコーランですよ、と、紹介してみたら、いかがだろうか。

さいわいなことに、コーランは、私たちが慣れ親しんでいる〔欧米風な〕論文のように、テーマを掲げて論考を重ね、結論に至るという体裁を採っていない。けっしてわるい意味ではなく、どこを切ってもみごとな金太郎飴《あめ》、大意において似通ったことがあちこちに記してある。ならば代表するにふさわしい一章を選んでまるごと紹介すれば、全体の調子をなんとか推し量っていただけるだろう。

よし、これで行こう。

折しもマホメットはヒジュラを敢行し、拠点をメディナに移していた。アラーの啓示は第三期に入り、第三期の特徴はとにかく長いこと。第一期〔初めて啓示を聞いたころ〕は極端に短く憑依《ひょうい》を誘うものであり、また第二期が説話的であったのに対し、第三期は法制的であり、イスラム社会の規律を繁《しげ》く述べている。バドルの戦いで大勝利を収めたものの、ウフドの戦いでは敗北し、ハンダクの戦いで巻き返す……伸《の》るか反るかの厳しい情勢を潜《くぐ》り抜けて共同体ウンマの結成に到《いた》るわけだから、仲間うちの規律を徹底し、結束を固める必要があったのは当然だろう。神の啓示としては、私なんかが、

——へえー、こんなことまで——

と思うほど細かい規律が伝えられているけれど、ここでは、そう、第三三章〈部族連合〉をまるごとお目にかけよう。イスラム暦は、マホメットがメッカからメディナへ移住したヒジュラの年、すなわち西暦六二二年をもって元年としているが、この第三三章はヒジュラ五〜七年のころの啓示らしい。バドルの戦い、ウフドの戦い、ハンダクの戦い、などなどのまっ最中である。もちろんこれは第三期、メディナ啓示の核心を占める部分だ。

ここで言う部族連合は、マホメットに敵対する、メッカの連合軍のこと。強敵の攻

撃を受け信者たちの結合をどう緊密に保つか、共同体のルール作りが顕著に見えている。ところどころに休憩を挟みながら覗《のぞ》いてみよう。わかりにくいところは休憩室のメモランダムで、どうぞ。

〝慈悲深いアラーの名において。

預言者マホメットよ、アラーをおそれ、信仰のない者やにせ信者に従ってはなるまいぞ。アラーは本当に全知全能の神。アラーの啓示に従え。アラーはあなたのおこなうことを知りつくしている。すべてをアラーに託すがよい。アラーにのみ加護を願えば、それで充分。アラーは人間の体に二つの心臓を納めなかった。また離婚する妻とは、性的な関係を持ってはならないぞ。それは離婚する妻に対し「母親の背中と同じだ」と告げる言葉によく表われている。養子もまた実子と同じではない。あなたたちは日常、実子と同じように言っているが、アラーは真理の筋目を通し、あなたたちに正しい道を歩ませるのだ。

養子はその父の姓で呼んでやれ。それがアラーの道に適《かな》っている。もし父の名がわからなければ、信仰上の兄弟、あるいは庇護《ひご》者の名で呼べ。この点に関して、それとは知らずに誤ちを犯した場合は許されるが、悪意をもっておこなったときは、べつだ。アラーは寛大にして慈悲深い神である。

預言者マホメットは信者にとって血縁者よりも近い存在。また預言者の妻たちは信者たちの母である。アラーの定めではあなたたちの血縁者は、もちろんアンサール〔援助者〕やムハージルーン〔移住者〕より近しい関係の人たちだが、いずれにせよ身方同士は親切を旨《むね》として、協力を惜しんではならない。これは啓典にはっきりと記されていることである。

アラーは多くの預言者たちから、すなわちヌーフ〔ノア〕、イブラーヒーム〔アブラハム〕、ムーサー〔モーセ〕、マルヤムの子イーサー〔イエス〕からきっかりとした契約を取り証《あか》しを残しておいた。

これはアラーが誠実な人の誠実さを明白に示すためであった。そしてそれは背信者に言いわけをさせず厳罰をくだすためであった〟


（第三三章〈部族連合〉第一～八節）

ここらあたりで読者諸賢にひと休み……。この第三三章、アラーのご威光はいつも通り変わらないが、生活の規範が一つ一つ示されているところが特徴だ。二つの心臓を納めない、というのは真ごころは一つ、の意味だろう。あっちの神様、こっちの神様、この指導者、あの指導者、浮気は禁物だ、ということ。また離婚する妻に「母親の背中と同じだ」と言うのは、アラブ社会の慣用句で、母親のうしろ姿がけっして性的欲望の対象とならないことから譬《たと》えを引いている。このくだりの文意は、離婚する妻と母親は同じではない、であり、だからどうだと言うのか、わかりにくい。次に養子と実子のちがうことを説いているのを見ると、往時の家族制度を反映した忠告であったにちがいない。離婚をしてもなお性的な営みを続けるような、曖昧《あいまい》な男女関係を戒めたのだろうか。

養子については、血族を重んずるアラブ社会の風習を反映して家族の乱れを禁じている。便宜的な養子縁組があったのだろう。イスラム社会では今日でも養子制度を認めない傾向がある。

マホメットがメッカからメディナに逃がれたとき、一緒に行動した仲間たち、つまりメッカ以来の信仰の仲間がムハージルーン、メディナに移ってからの仲間がアンサールであることはすでに述べたが、血縁を超えてこうした仲間たちとの協力を訴えるのは、この時期の共同体の理念として絶対必要なことであったろう。そのうえで預言者マホメットが仲間同士より身近な存在であり、マホメットの妻はみんなの母であると言っている。さらに、マホメットはもちろんのこと歴代の預言者から誓約をとったことを強調したところで、休憩は終え……アラーの啓示はさらに続いて、

〝信仰ある者よ、アラーの恵みを思い起こせ。敵の大軍が攻め寄せて来たとき、アラーは大風を起こし、目に見えない天使の援軍を送ったではないか。アラーはあなたたちがやっていることなど、みんなお見通しだ。

覚えているだろう。あのとき敵軍は上から下から……高地から谷底から攻め寄せて来た。あなたたちの目はうつろ、心臓が喉《のど》もとにまでせりあがってドッキン、ドキン、恐怖のあまり、アラーについてあれこれよからぬことを考え始めた。

あのときアラーは信者たちを試したのだ。揺さぶりをかけてみたのだ。

にせ信者や心のやましい者たちは「アラーとマホメットは、おれたちを欺《あざむ》いたらしいぞ」と罵《ののし》った。

また、そういうやからは「ヤスリブ（メディナ）の人たちよ、もう頑張れまい。引き返したほうがいいよ」と唆《そそのか》し、マホメットに対しても「帰らしてください。私の家は無防備のまま危険にさらされてます」と訴えた。なんの、危険なんかありゃしない。ただ臆病《おくびょう》風に吹かれ逃げたかっただけのこと。

もし、あのとき敵軍が四方から強引に侵入して来て裏切りを呼びかけたら、たちまちそれに従って大急ぎ、スタコラサッサと逃げ出したろう。

なんと！　それより先に「けっして背《そむ》きません」とアラーに誓っていたというのに。アラーとの約束は、かならず厳しく訊問《じんもん》されるのだ。

言ってやるがよい。「逃げ出して、たとえ死からまぬがれたとしても、それがなんのたしになるものか。束《つか》の間《ま》の生を楽しむだけのことだ」と。

言ってやるがよい。「アラーがあなたたちに対して、たとえば災いを与えようと考えたとき、あるいは恵みを施そうと考えたとき、だれがそれをさしとめられるものか。アラーをさしおいて、ほかに保護者も援助者もあろうはずがない」

アラーは、戦場へ行こうとしなかった者、「こっちへいらっしゃいよ」などと仲間を誘って逃げ道を示した者、みんな知っている。ほんのわずかな時間しか戦場にいなかった者もな。

まったく、どうしようもない連中だな。ちょっと恐ろしいめに遭《あ》えば、死に直面した者みたいに目玉をグルグルまわしておびえる。そのくせ危険が去るとたちまち周囲の者を非難し、少しでもよい戦利品を貪《むさぼ》ろうとする。こういう連中が本当の信者であろうはずがない。アラーは、こういう連中の野心をたやすく無益なものに変えてしまう。

連中は、敵軍がまだ敗退していないんじゃないか、とビクビク様子をうかがっていた。ふたたび攻めて来たら、遊牧民の中に隠れて、みんなの消息をそれとなく探るつもりでいた。たとえいっとき信者たちと一緒にいたとしても戦ったりはしなかったな、あいつらは。

アラーを信じ終末の日を望む者にとって使徒マホメットこそが本当のよい規範であった。

信者たちは、敵の軍勢を見たとき「これこそが、アラーとマホメットが私たちに約束していたものだ。アラーとマホメットは真実を告げていたのだ」と告げて信心と服従、帰依《きえ》の心を一層深くした。

信者の中にはアラーと結んだ約束に対して忠実であった人も数多くいた。ある者は誓いを果し、ある者はなお誓いを果す機会を待っている。彼等は少しも信念を変えなかった。

アラーは忠誠な人に対してはよい報いを与え、またにせ信者に対しては厳しく罰し、ときには赦《ゆる》すこともある。それもみなご自身の考えひとつ、アラーは寛容にして恵みの深い神である。

アラーは激しい怒りをもって背信者たちをメディナから追い払い、なんの利益も彼等に得させなかった。一方、信者たちに対しては大風や天使の助けをもたらし、守ってくれた。アラーは偉大にして威力の並びない神である。
またアラーは、敵軍を援助したユダヤ教徒を砦《とりで》から追い払い、深い恐怖に陥《おとしい》れた。ある者を殺し、ある者を捕らえた。
そしてユダヤ教徒の土地、住宅、そのほかの財物をあなたたちに継がせ、またあなたたちがまだ踏み込んだことのない土地をあなたたちに与えた。まことにアラーは万事にわたって全能である〟

（第三三章〈部族連合〉第九～二七節）

いかがだろうか。断片的ではあるが、戦場での人心やビヘイビアが、具体的に示されていて、おもしろい。このくだりはハンダクの戦い（六二七）に即してくだされた啓示らしく、事実、この戦ではマホメットの周辺には裏切り者や臆病者が続出して、おおいに悩まされたが、時ならぬ冷風が吹いて、敵の軍馬の飼料がままならず、敵軍の失敗も重なり、ところどころで予想外の勝利があった、とか。それもこれもみんなアラーの賜物《たまもの》……。

そう言えば、大日本帝国も昭和十六年十二月、日米開戦のおりには〝天佑《テンユウ》ヲ保有シ万世一系ノ皇祚《コウソ》ヲ践《フ》メル大日本帝国天皇ハ昭《アキラカ》ニ忠誠勇武ナル汝有衆《ナンジ》ニ示ス〟なんて、いかめしい勅語がくだったはず。戦争となれば、やはり天佑神助、神様の加護を願いたくなるものらしい。このあと、この国のあしき帝国主義や軍国主義が罰せられたのも神様の思召《おぼしめ》しだったのだろうか。

コーランの場合、アラーの加護は絶大であり、たとえ敗れることがあっても、それはアラーの試練、死に到《いた》ることがあっても、心正しい者については、ちゃんとアラーの帳面に記され、最後の審判でおおいに祝福される、これが基本的なロジックだ。

私たちの日常だって、今日一日、今月いっぱい、あるいは今年一年、

――ひどかったなあ――

と嘆くような情況であっても、明日からが、来月からが、来年からが、右肩上り、未来永劫《えいごう》に幸福が約束されるならば、

――めじゃない、めじゃない――

いっときの不幸など、充分に耐えられる。今はドン底でもドンドンよくなる法華《ほっけ》の太鼓、さほどのことではあるまい。コーランの思想では、現世のことなど、最後の審判へと続く全体のほんの一部にしかすぎない。たとえ戦場で死んだとしても、アラー

のために戦ったのであれば、それは栄誉であり、未来の保証であり、少しも不幸ではない、という考えである。これこそがコーランを貫く理念であり、現代の聖戦《ジハード》という表現も、もちろん、この理念に裏打ちされている。

さて、ふたたび休憩を終えて本来の長い引用に戻れば、

〝さあ、マホメットよ、あなたの妻たちに言ってやるがよい。「もしあなたたちが現世の生活の充実と虚飾を望むのであれば、考えてあげよう。贈り物を与え、離婚もしてやろう。

だが、もしあなたたちがアラーとその預言者であるマホメットを敬い、そして来世の安住を求めるならば、善行を積む者にこそ、アラーがすばらしい報奨を準備していることを忘れてはなるまいぞ」と。

預言者マホメットの妻たちよ、あなたたちにして明白な大罪を犯した者は二倍の懲罰を受けるぞ。アラーにとっては、それは簡単なこと。

だが、あなたたちの中で、アラーとマホメットに従い、敬して善行に励む者には、アラーが報奨を倍加し、豊かな恵みを準備しておるぞ。

預言者マホメットの妻たちよ、あなたたちはほかの女たちと同じではない。ア

ラーをおそれるのであれば、卑《いや》しい言葉を吐いてはなるまい。そういう言葉はやましい心を持つ者たちを唆《そその》かして悪へ誘うからだ。いつも正しい言葉でものを言うようにせよ。

淑《しと》やかにして家の中に身を置くこと。かつての無明の時代のように、けばけばしく身を飾ってはいけない。礼拝を守り、施しをおこない、アラーと使徒マホメットに従順であれ。アラーの願いはただ一つ、あなたたち家庭にある者が不浄に染まることなく、清らかに身を保つこと、それだけだ。

また、あなたたちの家で読誦《どくじゅ》されるアラーの印、すなわちコーランを心に銘記し、その英知を覚《さと》れ。アラーは全知全能の神なのだから。

すべてをアラーに委《ゆだ》ねた男と女、信仰の深い男と女、従順な男と女、誠実な男と女、忍耐強い男と女、謙虚な男と女、施しをする男と女、断食《だんじき》をおこなう男と女、貞節を守る男と女、アラーを唱える男と女、こういう者たちに対しては、アラーは快く罪を赦し、すばらしい報奨を準備している。

信仰深い男女たちよ、アラーとその使徒マホメットがなにかを決定した以上、あなたたちの信仰に賭《か》けてもう勝手な選択をしてはなるまい。アラーとその使徒マホメットに背く者は、明らかに道に迷い、道を失う者である〃

（第三三章〈部族連合〉第二八〜三六節）

と、このあたりの数節は日常生活の倫理と規制をつまびらかにして、わかりやすい。とりわけアラーとマホメットがどういう女性をよしとしているかが明言されている。

ついでにマホメットの女性関係について略述しておけば、最初の妻ハディージャは、ヒラー山で啓示を受けたとき以来、真実マホメットの支えとなってくれた年上の人であり、ヒジュラの三年前に没している。ハディージャが生きているあいだ、マホメットはほかの女を妻としなかったが、それ以後は年を追い多くの妻を娶《めと》っている。複数妻はアラブの習慣であり、マホメットの場合、私の見たところ〝英雄、色を好む〟の傾向がまったくなかったとは思えないが、戦乱時の未亡人対策、女性たちのあいだにも指導者を置く必要性など、よき伴侶《はんりょ》を得て確かな手助けを受けることも指導者として必要であった。のちに後継者問題などで暗躍するアーイシャが、そのよい例であったろう。

が、次の一節（第三七節）は、マホメットの女性関係とも絡《から》んでちょっと悩ましい。前後の事情を知らないとわかりにくいかもしれないが……。

〃マホメットよ、アラーが恵みを垂れ、あなた自身も信頼を寄せている、あの男ザイドに、あなたがこう告げたときのことについて触れておこう。あなたは「ザイドよ、妻とは離婚をせず、アラーをおそれ敬いなさい」と言ったのだが、あのとき、マホメットよ、あなたは自分の胸中の秘密をアラーによって暴《あば》かれ、よくない噂《うわさ》が広がることを恐れていたな。なにを血迷っているのか。マホメットよ、あなたは噂が広がることよりアラーをこそおそれるべきであった。アラーはすべてを斟酌《しんしゃく》してザイドと妻とを別れさせ、その女とあなたを結婚させた。これによって、たとえ自分の養子の妻であった女でも、離婚手続をきちんと済ませたあとであれば娶ってもよいと、信者たちみんなに通用するルールをアラーは示したのである。アラーの命令は成就《じょうじゅ》されねばなるまいぞ〃

（第三三章〈部族連合〉第三七節）

となっている。ザイドは奴隷《どれい》であったが、マホメットのもとで解放され、早い時期にアラーの信者となり、その聡明《そうめい》さと性格のよさを買われてマホメット生涯の片腕となった「養子となった、とも」男である。

このザイドの妻にザイナブがいて、美しい女性であったらしい。マホメットはザイナブに引かれたが、片腕〔養子〕の妻では、どうにもならない。ザイドはそのことを察知し〔ザイドとザイナブの仲はぎくしゃくしていた〕離婚を考える。それを知ったマホメットは、

——そりゃ、わるい噂になる。示しがつかなくなるぞ——

と、いったんは断念した。そこでザイドに「ザイナブとは離婚するなよ。それがアラーの思召しだぞ」と告げたのが、たったいま引用した第三七節の初めの部分である。その後、やっぱりザイドは妻と別れ、マホメットはザイナブを娶る。それに対してアラーは、

「いいんだ、いいんだ。マホメットともあろう者がそんなことで悩むな。ちゃんと離婚したあとなら、養子の妻であった女でも、自由に娶ってよい、それをアラーがルールとして許したのだ、と知れ」

と追認してくれた、という事情である。

——都合がよすぎるんじゃない？——

という気もするけれど、なにごともアラーの御心《みこころ》により細かい制度化が進んでいく、という証左でもある。

細かいルール作りはさらに進んで、

〟アラーが命じたことをおこなって、預言者マホメットが咎《とが》められるはずがない。これまでの人たちにも同じようにしてきたことだ。アラーの命令は動かせない定めである。

アラーの啓示を世に伝えた、これまでの預言者たちはアラーだけをおそれ、ほかのなにものをもおそれない人たちであった。いっさいの清算をアラーに委ね、それで充分、ほかにはなにもいらない。

マホメットよ、あなたはだれの父親でもない。ただアラーの使徒であり、最後の預言者である。アラーはすべてを知る全能の神なのだ。

信者たちよ、あなたたちはくり返してアラーの名を唱えよ。

朝な夕なにアラーの栄光を称《たた》えよ。

アラーこそがあなたたちを暗闇《くらやみ》から光明へと連れ出し、天使たちとともにあなたたちを祝福する神なのだ。アラーはまことに信者たちに恵みが深い。

信者がアラーに会う日の挨拶《あいさつ》は「平安あれ」である。アラーは信者たちのためにすばらしい報奨を準備してくださる。

預言者マホメットよ、アラーはあなたを最後の審判の日の証人として、また信者たちを天国へいざなう恵みの伝え手として、さらに信仰のない者たちへの警告者として現世に遣わした。すなわちアラーの許しを得てアラーのもとへ信者を呼び集める人、みんなに光明を授ける燈火《ともしび》としてあなたを遣わしたのだ。だから信者たちにアラーのすばらしい贈り物について吉報を知らせるがよい。信仰のない者やにせ信者に従ってはならない。そういう者たちにわずらわされることなく、ただひたすらアラーにすべてを委ねるがよい。アラーはいっさいの支配者として万全である。

信仰深い者たちよ、あなたたちが信者である女性との結婚を約し、だがまだ手を触れないうちに離婚した場合は、彼女に再婚のための待機期間を求めてはならない。結婚の持参金を返し、充分な配慮をもって自由にしてやりなさい。

預言者マホメットよ、アラーがあなたの妻として許すのは、まずあなたが正式の結婚資金を与えた女、戦利品としてアラーが与えた奴隷の女、あなたの父方のおじ・おばの娘や母方のおじ・おばの娘でメッカからあなたとともに移住してきた女、信者の中で心身をあなたに捧《ささ》げようという女、などなどである。あなたがこういう女たちとの結婚を望むのならアラーの名のもとに許されよう。これはあ

IV
III
I
II
n o v.

なたにだけ許される特別なことであり、ほかの信者たちはまたべつ扱いである。信者たちは自分たちの妻や奴隷の女についての規定はよく心得ているはずだ。だから、これはあなたがこの件で非難をあびないよう特に告げておくのだ。まことにアラーは気配りのある慈悲深い神である。

マホメットよ、あなたは、自分の妻たちについて自由にふるまってよい。順序を乱して臥床《ふしど》をともにしてもかまわない。いっとき遠ざけておいた女を、また召してもかまわない。それが彼女たちを喜ばせ、憂《うれ》いを解き、満足を与えることに繋《つな》がる。アラーはあなたの心を見通している。全知にして寛大な神なのだ。

とはいえ、これからは新しい女と結婚してはなるまいぞ。美貌《びぼう》に引かれても取り替えてはいけない。ただし、あなたの右手が所有する奴隷の女はべつである。アラーはすべてのことを見守っているぞ〟

（第三十三章〈部族連合〉第三八～五二節）

共同体のリーダーとしてマホメットは、女性関係に充分に気を使う必要があったにちがいない。とりわけ妻妾《さいしょう》のこと……。当時の習慣として四人くらいまで複数妻を持つことが許されていたけれど、マホメットの妻妾は十人を越えていた。ザイドの例のように近しい人と関わりのある女性に関心を抱いたり、タブーを犯しかねない関係に恋情を燃やしたり、政略的な配慮などもあっただろう。アラーはすべてを見通したうえで、

「あなたの場合は、いいんだ。ほかの人は駄目じゃがな」

と、寛大な啓示を与えてくれた、という事情である。

複数妻を持ったとき、これを公平に扱うことが……特に順番をたがえず公平に臥所をともにすることが慣習となっていたが、マホメットについては、アラーがそれを乱すことをおおめに見てくれた、ということ。マホメットは忙しいのである。こんな啓示があるなんて……細かいというか、ほほえましいというか、むしろこのあたりに共同社会の人間的事実をかいま見て、くさぐさを察知するべきなのだろう。アラーはマホメットに限り従姉妹《いとこ》を娶ることも許している。

が、それはともかくマホメットの忙しさと言えば……さらに引用を続けよう。

〝信者たちよ。預言者マホメットの家に招かれたとき、食事の仕度が終わるまでは家の中に勝手に入ってはいけない。呼ばれたら入ればよい。しかし食事が終わ

ったら立ち去ることだ。むだ話に興じて長居をしてはいけない。マホメットは迷惑に思っても、あなたたちに気を使ってなにも言わない。だがアラーはなにごとも遠慮をしないぞ。だから、はっきりと言っておく。あなたたちがマホメットの妻たちに話すときは、かならず帳《とば》りのかげから声をかけることだ。そのほうが、あなたたちの心に、また彼女たちの心にも、けがれを起こさない。マホメットの心をも乱さない。それから、あなたたちは、どんな場合でも、マホメットが離別した妻妾と結婚してはならないぞ。そういう営みはアラーのもとでは重罪である。

あなたたちがなにをやっても、隠してもアラーはすべて熟知しているのだ。預言者マホメットの妻たちが帳りを隔てることなく自由に接してよいのは、自分の父、息子、兄弟、兄弟姉妹の息子、一族の女、右手の所有する奴隷たちである。妻たちよ、アラーをおそれなさい。アラーはすべてを見通しているぞ。

アラーと天使たちは預言者マホメットを祝福する。信仰深い者たちよ、あなたたちは最大の敬意をもってマホメットの平安を祈るがよいぞ。

使徒マホメットを悩ます者に対してアラーは現世でも来世でも怒り呪《のろ》い、恥ずかしめの懲罰を用意している。

また理由もなく、信者たち男女を悩ます者は中傷と罪科《ざいか》の重荷を負うこととなる。

預言者マホメットよ、あなたの妻たち、娘たち、そして信者の女たちにも、長衣をまとうよう告げなさい。これならば、人々の心を悩ますこともなく、だれであるか、最低限の確認ができるというもの。アラーは寛大で、慈悲深い神である。もしにせ信者や心のやましい者が、あるいはまた扇動者が悪事を唆《そその》かしていたら、アラーはそこへマホメットを走らせよう。そうすれば、悪者どもがはびこっていられるのも束《つか》の間《ま》のこととなる。

悪者どもは呪《のろ》われ、見つかり次第捕らえられ、殺されるのだ。

これは昔からアラーがおこなってきたこと、アラーの営みにはなんの変更もない。

マホメットよ、人々が最後の審判がいつあるのか、と尋ねたら、言ってやるがよい。「それはアラーだけが知っていること。あなたが知ることではない。もうすぐかもしれませんよ」と。

アラーは信仰のない者を怒って、烈火を準備している。

信仰のない者は永遠に火の中に投げ込まれ、彼等を保護する人も助ける人も見《み》出《いだ》せない。

炎の中で信仰のない者は顔をグルグルとまわされ、あぶられ、その期《ご》に及んで「ああ、私たちはアラーを敬い、使徒マホメットに従えばよかった」と嘆く。また、そのときになって「アラーよ、私たちは頭領やお偉がたに従っただけのこと。あの人たちが私たちを迷い道に引き込んだんです。アラーよ、あの人たちの懲罰を二倍にして、激怒はどうぞあちらのほうに向けてください」と言う。

信仰深い者たちよ、ムーサー〔モーセ〕を悩ました人たちのようであってはなるまいぞ。ムーサーが受けた中傷についてはアラーが証《あか》しを立てている。ムーサーにはなんの問題もない。ムーサーはアラーのもとで高い地位を占めている。信仰深い者たちよ、アラーをおそれなさい。いつも正しい言葉を語りなさい。そうすればアラーはあなたたちのあやまちを正し、数々の罪も赦《ゆる》してくれる。アラーとその使徒マホメットに従う者はすばらしい幸福を享受《きょうじゅ》する人たちだ。

初めアラーは天や地や山々に信仰の重い荷物を背負ってくれ、と願ったが、天も地も山々も重くて持ちきれないと尻込《しりご》みするばかり。人間たちが引き受けたのはよかったけれど、人間には不義と無知とがつきまとっている。

かくてアラーはにせ信者や多神教の男女をことごとく罰した。ただアラーを信仰する者には男女のべつなく恵みの慈顔を示している。もともとアラーは寛大にして慈悲深い神なのである〟

（第三三章〈部族連合〉第五三～七三節）

とあってコーランの第三三章〈部族連合〉の全七三節が終わっている。

第三期の啓示が長いことはすでに述べたがこの第三三章は、むしろ第三期としては短いほうだ。二〇〇節を超える章もあって、延々とこんな調子で語られていることを想像していただきたい。よくもわるくも、それがコーランなのである。

何節かを通して話が続いているところもあるが、急に脈絡を失って変わってしまうところもある。唐突と言ってよいほど突然、ひたすらアラーの御恵《みめぐ》みと偉大を訴える一行が挟まれたりする。背後の事情を知っていないと、理解の届かないところも多い。たったいま引用した最後の部分で、ムーサーのことが急に語られたりしていて、これは旧約聖書、民数記一二章に書かれたモーセの故事を暗示している。モーセがエチオピアの女性［同族ではないことが重要］を娶《めと》ったのに対して妹のミリアムと兄のアロンが反対した。三人で神の言葉を聞いたところ、神が「なぜ私の下僕《しもべ》モーセを非難するのか」とミリアムとアロンを咎《とが》めて一件が落着した、とある。マホメットも同じような啓示を聞いたわけであり、その心は、「私の女性問題について、つべこべ言うな、アラーのお許しを得ているのだから」であろうか。

こうしたエピソードはべつとして、コーランは、特に第三期の啓示は、どこを切っても、わりと似たようなことがくり返しくり返し述べられている。ほどよい長さの〈部族連合〉の全文引用をもって、

――なるほど、こんな感じか――

不充分ながらおおよその推測は可能であろう、と考えて、あえて全文を示した。コーランはアラビア語で詠唱されるのが本筋であり、翻訳はどの道、不充分なものである。読者諸賢において諒《りょう》とされたい。

そんな事情をふまえてここではコーランの書誌的な要点を〔今まで述べたことと重複するところもあろうけれど〕まとめて記しておこう。

コーランはマホメットがアラーから受けた啓示の集大成である。クルアーンという表記のほうが本来の発音に近いが、日本での慣用を考え、ここではコーランとした。時期的にはマホメットの四十歳（西暦六一〇年）から死（六三二年）まで。間にヒジュラ

（六二二年）を置き、それ以前の啓示をメッカ啓示、以後の啓示をメディナ啓示と呼ぶのが通例だが、このエッセイではメッカ啓示を、身近な布教のときと社会進出のときと、この二つに分け、第一期、第二期、そしてメディナの第三期と、三区分を採用した。また啓示は一章分まるごと下ったわけではなく〔そういうこともあったが〕多くは細かく、べつべつに下り、そういう異った時期の啓示を一つの章にまとめているケースも多い。

こうして長い年月にわたって下った啓示はマホメットの記憶に宿り、みなに伝えられ、それが本格的に編集記録されたのはマホメットの死後のこと、第三代カリフ、ウスマーン・イブン・アッファーンのとき、六五〇年代であろうか。

全部で一一四章。最長は二八六節、最短は三節。おおむね長い啓示から短い啓示へと配列されているが、それも厳密とは言えず、なにを原理として現在の順番になったか配列の根拠はよくわからない。啓示を受けた年月に従って、たとえば古いものから新しいものへ、あるいは新しいものから古いものへ、という配列ではないし、内容により仕分けて並べたとも思えない。

イスラムの古典としては、マホメット自身の言行と示唆《しさ》を記したハディースがあって、遠い時代を理解するための重要な手がかりとなっているが、このエッセイではむしろコーランそのものだけを紹介することに努めている。
コーランの構成内容を示す一覧表を示しておこう。

# コーランの構成一覧表

| 番号 | 章名 | 節数 | 期 |
|---|---|---|---|
| 1 | 開端 | 7 | Ⅱ |
| 2 | 雌牛 | 286 | Ⅲ |
| 3 | イムラーン家 | 200 | Ⅲ |
| 4 | 婦人 | 176 | Ⅲ |
| 5 | 食卓 | 120 | Ⅲ |
| 6 | 家畜 | 165 | Ⅱ |
| 7 | 高壁 | 206 | Ⅱ |
| 8 | 戦利品 | 75 | Ⅲ |
| 9 | 悔悟 | 129 | Ⅲ |
| 10 | ユーヌス | 109 | Ⅱ |
| 11 | フード | 123 | Ⅱ |
| 12 | ユースフ | 111 | Ⅱ |
| 13 | 雷電 | 43 | Ⅱ・Ⅲ |
| 14 | イブラーヒーム | 52 | Ⅱ |
| 15 | アル・ヒジュル | 99 | Ⅱ |
| 16 | 蜜蜂 | 128 | Ⅱ |
| 17 | 夜の旅 | 111 | Ⅱ |
| 18 | 洞窟 | 110 | Ⅱ |
| 19 | マルヤム | 98 | Ⅱ |
| 20 | ター・ハー | 135 | Ⅱ |
| 21 | 預言者 | 112 | Ⅱ |
| 22 | 巡礼 | 78 | Ⅱ・Ⅲ |
| 23 | 信者たち | 118 | Ⅱ |
| 24 | 御光(みひかり) | 64 | Ⅲ |
| 25 | 識別 | 77 | Ⅱ |
| 26 | 詩人たち | 227 | Ⅱ |
| 27 | 蟻(あり) | 93 | Ⅱ |
| 28 | 物語 | 88 | Ⅱ |
| 29 | 蜘蛛(くも) | 69 | Ⅱ |
| 30 | ビザンチン | 60 | Ⅱ |
| 31 | ルクマーン | 34 | Ⅱ |
| 32 | アッ・サジダ | 30 | Ⅱ |
| 33 | 部族連合 | 73 | Ⅲ |
| 34 | サバア | 54 | Ⅱ |
| 35 | 創造者 | 45 | Ⅱ |
| 36 | ヤー・スィーン | 83 | Ⅱ |
| 37 | 整列者 | 182 | Ⅱ |
| 38 | サード | 88 | Ⅱ |
| 39 | 集団 | 75 | Ⅱ |
| 40 | ガーフィル | 85 | Ⅱ |
| 41 | フッスィラ | 54 | Ⅱ |
| 42 | 相談 | 53 | Ⅱ |
| 43 | 金の装飾 | 89 | Ⅱ |
| 44 | 煙霧 | 59 | Ⅱ |
| 45 | 跪(ひざまず)く時 | 37 | Ⅱ |
| 46 | 砂丘 | 35 | Ⅱ |
| 47 | ムハンマド | 38 | Ⅲ |
| 48 | 勝利 | 29 | Ⅲ |
| 49 | 部屋 | 18 | Ⅲ |
| 50 | カーフ | 45 | Ⅱ |
| 51 | 撒き散らすもの | 60 | Ⅰ・Ⅱ |
| 52 | 山 | 49 | Ⅰ・Ⅱ |
| 53 | 星 | 62 | Ⅱ |
| 54 | 月 | 55 | Ⅱ |
| 55 | 慈悲あまねく御方 | 78 | Ⅰ |
| 56 | 出来事 | 96 | Ⅱ |
| 57 | 鉄 | 29 | Ⅲ |

＊各章の訳名は日本ムスリム協会編「聖クルアーン」による

| 番号 | 章名 | 節数 | 期 |
|---|---|---|---|
| 58 | 抗弁する女 | 22 | Ⅲ |
| 59 | 集合 | 24 | Ⅲ |
| 60 | 試問される女 | 13 | Ⅲ |
| 61 | 戦列 | 14 | Ⅲ |
| 62 | 合同礼拝 | 11 | Ⅲ |
| 63 | 偽（にせ）信者たち | 11 | Ⅲ |
| 64 | 騙（だま）し合い | 18 | Ⅱ・Ⅲ |
| 65 | 離婚 | 12 | Ⅲ |
| 66 | 禁止 | 12 | Ⅲ |
| 67 | 大権 | 30 | Ⅱ |
| 68 | 筆 | 52 | Ⅱ |
| 69 | 真実 | 52 | Ⅱ |
| 70 | 階段 | 44 | Ⅱ |
| 71 | ヌーフ | 28 | Ⅱ |
| 72 | アル・ジン | 28 | Ⅱ |
| 73 | 衣を纏（まと）う者 | 20 | Ⅱ |
| 74 | 包（くるま）る者 | 56 | Ⅰ・Ⅱ |
| 75 | 復活 | 40 | Ⅱ |
| 76 | 人間 | 31 | Ⅱ・Ⅲ |
| 77 | 送られるもの | 50 | Ⅱ |
| 78 | 消息 | 40 | Ⅱ |
| 79 | 引き離すもの | 46 | Ⅱ |
| 80 | 眉（まゆ）をひそめて | 42 | Ⅰ・Ⅱ |
| 81 | 包み隠す | 29 | Ⅱ |
| 82 | 裂ける | 19 | Ⅱ |
| 83 | 量を減らす者 | 36 | Ⅱ |
| 84 | 割れる | 25 | Ⅰ・Ⅱ |
| 85 | 星座 | 22 | Ⅱ |
| 86 | 夜訪れるもの | 17 | Ⅰ・Ⅱ |
| 87 | 至高者 | 19 | Ⅰ・Ⅱ |
| 88 | 圧倒的事態 | 26 | Ⅰ・Ⅱ |
| 89 | 暁（あかつき） | 30 | Ⅱ |
| 90 | 町 | 20 | Ⅰ・Ⅱ |
| 91 | 太陽 | 15 | Ⅱ |
| 92 | 夜 | 21 | Ⅱ |
| 93 | 朝 | 11 | Ⅰ |
| 94 | 胸を広げる | 8 | Ⅱ |
| 95 | 無花果（いちじく） | 8 | Ⅱ |
| 96 | 凝血（ぎょうけつ） | 19 | Ⅰ・Ⅱ |
| 97 | みいつ | 5 | Ⅱ |
| 98 | 明証 | 8 | Ⅱ・Ⅲ |
| 99 | 地震 | 8 | Ⅱ・Ⅲ |
| 100 | 進撃する馬 | 11 | Ⅱ |
| 101 | 恐れ戦（おのの）く | 11 | Ⅱ |
| 102 | 蓄積 | 8 | Ⅱ |
| 103 | 時間 | 3 | Ⅱ |
| 104 | 中傷者 | 9 | Ⅱ |
| 105 | 象 | 5 | Ⅱ |
| 106 | クライシュ族 | 4 | Ⅰ |
| 107 | 慈善 | 7 | Ⅱ |
| 108 | 潤沢 | 3 | Ⅱ |
| 109 | 不信者たち | 6 | Ⅱ |
| 110 | 援助 | 3 | Ⅱ・Ⅲ |
| 111 | 棕櫚（しゅろ） | 5 | Ⅱ |
| 112 | 純正 | 4 | Ⅱ |
| 113 | 黎明（れいめい） | 5 | Ⅱ |
| 114 | 人々（ひとびと） | 6 | Ⅱ |

（期は啓示の時期を第一～三期に分けたことを示したが異説も多い。第Ⅰ・Ⅱがメッカ啓示、第Ⅲがメディナ啓示）

# ❻ 神は紙に描けない

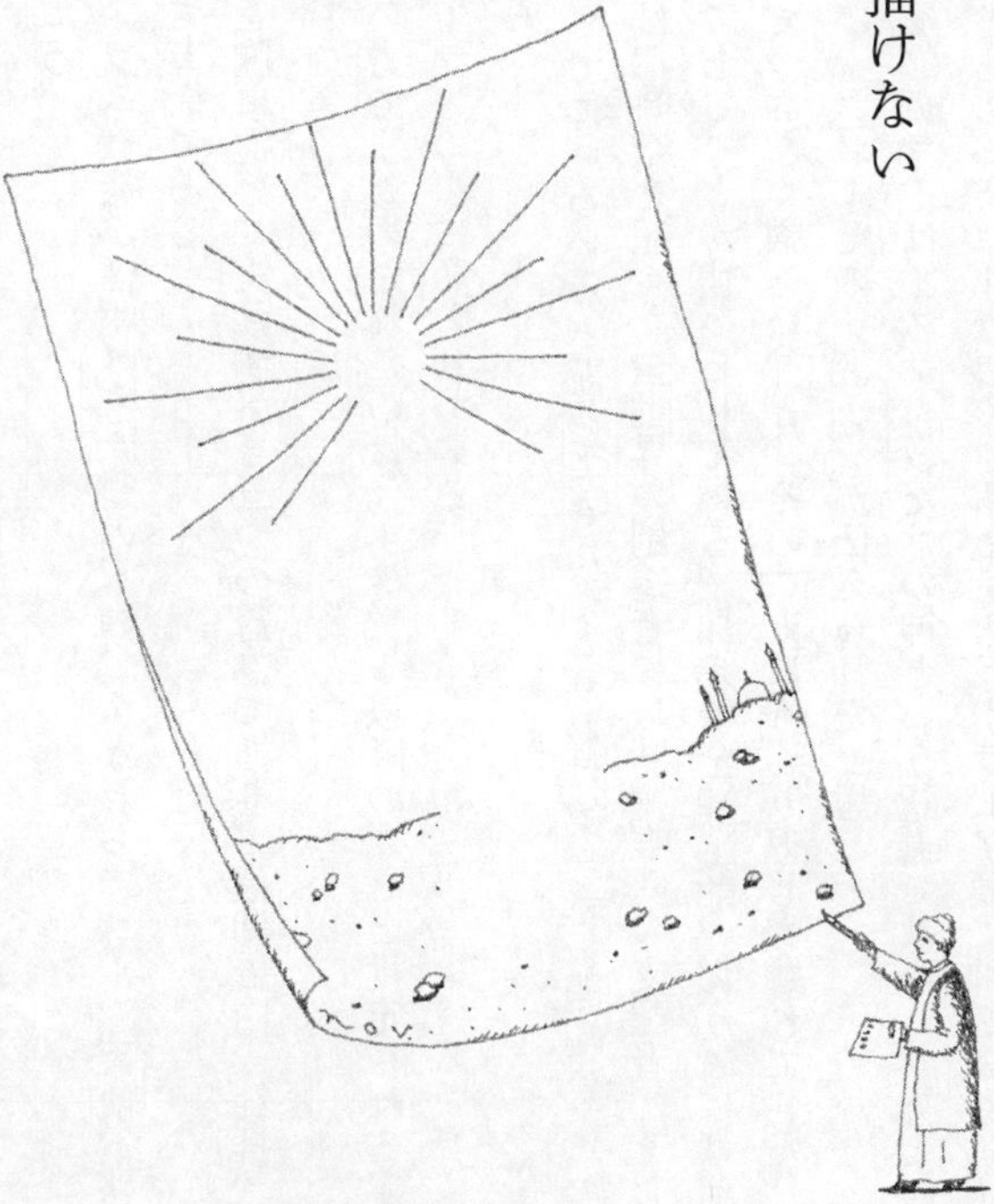

このあたりでイスラム教を理解するために必要な、コンパクトな知識として六信五行《ごぎょう》について触れておこう。

六信は文字通りイスラム教徒が信ずべき六つのもの、すなわちアラー、天使、啓典、預言者、来世、そして天命である。

五行は信徒が六信を胸に抱いて実践すべき五つの行為であり、信仰告白、礼拝、斎戒《さいかい》、喜捨《きしゃ》、そして巡礼を言う。

六信五行という言い方でまとめられたのはマホメット以降のことと推定されるが、その根源は充分にコーランの中に語られている。

まず六信のほうから……。

アラーについてはすでにいろいろと記してきた。とりわけ第一章〈開端《かいたん》〉〔このエッセイの第1話〕では、時空を超えた全世界の創造者であり、唯一《ゆいいつ》の支配者、そして最後の審判の主宰者であることが述べられている。加えて全知全能、従う者には慈悲深く、背く者にはとてつもなく厳しい、と、そのことにもくり返して触れてきた。アラーの属性については、おおよそのイメージが伝えられたと思う。

あえて付言をすれば、アラーはイスラム教だけの神という認識ではなく、神そのものが……つまり神なるものがアラーなのだ。もともとはアラビア語で神を表わすイラーフに冠詞のアルをつけたもの、英語のザ・ゴッドに当たる。ユダヤ教徒やキリスト教徒がそれを認めるかどうかはともかく、イスラム的認識によればユダヤ教の神もキリスト教の神も同じアラーということになる。

ただし、天照大神《あまてらすおおみかみ》は駄目。アラーは唯一神なのであり、多神教は、なべて未開の宗教、アラーに近づくことさえできない。仏教の大日如来《だいにちにょらい》も、コーランはなにも触れていないけれど、理論的にアラーではありえない。

が、それはともかく、唯一神はわかったけれど、巷間《こうかん》には、

「でも、アラーって、どんな顔してんの？」

という素朴な質問がないでもない。天照大神や大日如来は、だれが見て来たのかわからないけれど、信仰上、姿をかたどったものが造られている。

これに対して、イスラムは偶像崇拝を固く、固く禁じている。肖像のたぐいを描いて飾ることを固く禁じている。美術も例外ではない。イスラム圏を旅すれば一目瞭然《いちもくりょうぜん》、幾何《きか》学的なデコレーションはあっても、神や聖者について具象的な讃美《さんび》はありえない。偉大な預言者マホメットについても、その姿を見ることはありえない。

それに、マホメットはともかく、アラーは根源的に人間の姿に仮すような存在ではないのだ。コーランの中に、

〃異教徒たちは勝手に天使をアラーの娘と考え、「アラーが子を産んだ」としている。まったく根も葉もない嘘《うそ》をつくものだ〃

（第三七章〈整列者〉第一五〇～一五二節）

とあり、これは異教徒たちのあいだで「天使たちはアラーの産んだ娘である」と噂《うわさ》されていたから。そして、

〃アラーは子を産むこともなく、親から産まれたのでもない〃

（第一一二章〈純正〉第二～三節）

とあって、アラーはおのずから存在するもの、人間的な属性を拒否している文言が示されている。言ってみれば形而上《けいじじよう》的な存在、顔形などあろうはずもなく、その存在だけを感知して敬う神なのである。なるほど、神とはそういうものであり、神は描いて紙に表われるものではあるまい。

六信の二つ目に置かれている天使は、ちょっと悩ましい。アラーが光から創《つく》った霊的な存在で、アラーと人間との中間的なもの。いろいろな天使がいて、アラーの意志を人間に伝える役割を担《にな》っているが、そして時には目に見える姿で現われないでもないが、コーランではその正体があまりつまびらかではない。コーランに名前がはっきり記されているのはジブリール、ミーカーイール、イスラフィール、イズライールの四天使だけ。この中ではジブリールだけは、マホメットがヒラー山で初めて啓示を受けたときに現われているし、マホメットを夜の旅に誘って遠くエルサレムの上空まで案内しているし、

——あっ、なるほど、仕事をちゃんとやってるなあ——

と納得できるけれど、ほかの三天使はなにをしているのか、言及は乏しい。コーラン以降にも書き述べるほどの役目が伝えられていないし、アラーの補助役であるならばアラーを崇《あが》めることだけで充分、それをもって天使を崇めることに通じている。つまり、私見を述べれば六信の一つに特に天使を数える理由が察しにくいのだが、これはむしろ旧約聖書的伝承の名残りかもしれない。旧約聖書に［新約聖書にも］しばしば登場する神と人との連絡役を庶民のために残して、教えをわかりやすくする必要があったのではなかろうか。もしまちがっていたら、天使の皆さん、ゴメンナサイ。

六信の三番目にあるのは啓典。これはもちろん大切だ。とりあえず、

「コーランを敬いなさいよ」

と受け取っておいてよいけれど、厳密に言えばこの啓典には旧約聖書〔ユダヤ教の聖典も〕や新約聖書も含まれている。すでに述べたことだが、大切なのでくり返すけれど、……唯一神であるアラーは、はるか昔からいろいろな啓典を人間たちに与え示してきたが、まだ神の導きが徹底していない。よってもって最後の啓典としてコーランをくだした、ということだ。イスラム教はユダヤ教・キリスト教と対立するものではなく、二つを完成するものだ、と称する所以《ゆえん》である。

同様に四番目にある預言者もマホメットを指すと考えて、まちがいとは言えない現実が実在しているけれど、これも厳密にはマホメットだけではなく、アブラハム、モーセ、イエスなどなど旧約・新約の聖人たちを含んでいる。コーランでは預言者と使徒の区別もはっきりしていない。そして、これも昔からいろいろな預言者や使徒を送ってきたけれど、教えが徹底していない。最後にこれぞかけがえのない大真打ち、第一位の預言者としてマホメットを遣わして啓示をあきらかにした、という事情である。

コーランには、

〝アラーはあなた（マホメット）より以前に多くの使徒を遣わした。その中にはあなたに話して聞かせた者もいるし、まだ話してない者もいる。だが、どの使徒もアラーの許しなくして神兆を顕《あら》わすことはできない。アラーの命令がくだされれば、真理によって一切が裁かれる。真理をないがしろにした者は、かならず滅びる〟

（第四〇章〈ガーフィル〉第七八節）

とあって、事情を明確にしている。

旧約聖書・新約聖書に見えるビッグ・ネームでもコーランに触れられていないケースが多いのだが、そこはそれ〝まだ話してない者もいる〟ということだし、預言者や使徒についての言及は往時のアラブ社会で、旧約・新約の知識がどの程度浸透していたか、それをうかがう一つの手だてとなるようだ。大衆は先立つ聖典についてせいぜい耳学問の聞きかじりくらいの知識だったろう。

コーランの第二一章に〈預言者〉が設けられており、ここには比較的多く先立つ預言者のことが触れられている。とりわけイブラーヒーム［アブラハム］についての言及が興味深い。引用して示そう。

〝ずっと昔、アラーはイブラーヒームに正しい悟りを授けた。アラーは初めからイブラーヒームのことをよく知っていた。

イブラーヒームは自分の父親と一族の人々にこう尋ねた。「あなたたちが崇めているたくさんの偶像、あれはいったいなんですか」と。

問われて彼等が答えた。「先祖代々ずーっと崇めてきたものだよ」

「先祖も、あなたたちも明らかにまちがいを犯してますね」

「おまえ、本気でそんなこと言ってるのか。悪ふざけもほどほどにしろよ」

「とんでもない。敬うべきは天と地の主、天と地を創造した神アラー、私はその証人です。

私は唯一神アラーに誓って、ちょっとした奇跡をお目にかけましょう。皆さんが立ち去ったあと、この偶像たちに策をしかけてやりますから」

こう告げてイブラーヒームは、一同が去ったあと、たくさんの偶像のうち一つだけ巨大なものを残して、あとはことごとくこわしてしまった。

一同が戻って来て「だれのしわざだ。私たちの神々をこわしてしまって。ばち当たりめが」

「とんでもない若造がいるんだ。イブラーヒームといって、いつも私たちの神々を侮辱している」

「そいつを連れて来い。みんながどう言うか……」

イブラーヒームが現われると、一同は「おまえなんだな、私たちの神々にこんなわるさをしたのは」と問いつめた。

イブラーヒームが答えて「いや、このでかいやつが、やったんでしょ、きっと。だれがやったか、偶像たちに聞いてみたら、どうですか。口がきけるなら答えてくれるでしょうから」

偶像たちが答えるはずもなく一同は「私たちがまちがっていたかな」と反省したのも束《つか》の間《ま》、たちまち翻《ひるがえ》って「初めから口がきけないことを知ってて、こういう悪戯《いたずら》をりやがる！」と詰《なじ》った。

「そこですよ。あなたがたはアラーをないがしろにして毒にも薬にもならない木偶《でく》を崇めている。ああ、情けない。こんな目にあっても、なんの反応も示さない木偶たちなんですよ、あなたたちがアラーをさしおいて拝んでいるのは」

「なにを言う。イブラーヒームを火あぶりにしろ。私たちの神々を崇めろ」

イブラーヒームは火刑に処せられようとしたがアラーが命じて「火よ、鎮《しず》まれ。イブラーヒームに害をなすな」

人々がイブラーヒームに危害を加えようとしたが、アラーが恵みを垂れ、そういう人々のほうに損害を蒙《こうむ》らせた。

このたちアラーはイブラーヒームとその甥《おい》のルート〔ロト〕を祝福の地へと連れ出した〟

（第二一章〈預言者〉第五一〜七一節）


アブラハム〔イブラーヒーム〕の召命は、旧約聖書の創世記に記されているが、右の引用と重なる記述はない。旧約聖書を踏まえた伝承によれば、アブラハムは、ユーフラテス川の上流の町ハランにあって、いつの頃からかこの地に跋扈《ばっこ》する偶像崇拝や多神教に激しい嫌悪《けんお》を覚え、みずからの唯一神《ゆいいっしん》を考えるようになった。それに応《こた》えるように、ある日、啓示がくだる。

〃主はアブラハムに言われた。
「あなたは生まれ故郷
父の家を離れて
わたしが示す地に行きなさい。
わたしはあなたを大いなる国民にし
あなたを祝福し、あなたの名を高める
祝福の源となるように。
あなたを祝福する人をわたしは祝福し
あなたを呪《のろ》う者をわたしは呪う。
地上の氏族はすべて
あなたによって祝福に入る」〃
（創世記一二章一〜三）

アブラハムはこう聞いて、その通りに行動し、西のかた、今日のパレスチナからエジプトへと入った。
この出奔は果敢ではあったが、旧約聖書に見る限り、ハランの町でアブラハムがどんな迫害に遭い、どんな対応を示したか、出奔に先立つ出来事についてはつまびらかにされていない。あってもおかしくない。コーランの〈預言者〉に記されているようなやりとりがあったかどうか……。

　だから、きっとそうだったのだろう。なによりも一方の当事者であるアラーが告げているのだから、きっとそうだったのだろう。一般にはコーランより旧約聖書のほうが、個々の出来事についてはストーリー性豊かに語っているのだが、このくだりは……出奔直前の出来事についてはコーランのほうが詳しい。イブラーヒームと周囲の人々との折衝が具体的に伝えられていて、おもしろい。

　因みに言えば、イブラーヒームは、コーランの中でムーサー［モーセ］と並んでもっとも筆繁（しげ）く、また丁寧に伝えられている預言者である。コーランは、イブラーヒムが好きなんだ、と、そんな印象を抱いてしまう。

　それと言うのも、イブラーヒームの召命は、どことなくマホメット自身の召命と似通ったところがあるから……。イブラーヒームは、周囲が邪教を信奉し偶像崇拝をおこなっている中にあって、少しずつ唯一神を胸中に芽生えさせ、ある日、明確な啓示を受けた。それまでの生活をなげうって啓示に従った一途（いちず）さもマホメットに類似しているし、その後の揺るぎない行動により唯一神の教えをまっとうしたことも同一である。神の啓示とは、このように運ばれるもの、と、コーランの神はイブラーヒームの行動によき先例を考え見ていたのではないのか。それゆえにことさらに強くイブラーヒームの事跡を例示したのかもしれない。

話はすっかり横道にそれてしまったが、いま述べているのは、イスラム教徒が絶対に信ずるべき六つの存在、その四番目の預言者についてである。イスラム教徒の日常ではマホメットのことと考えておおむね不足はないけれど、先立つ預言者も大勢いて、その中の一人、イブラーヒームは特筆大書する存在である、ということについてであった。

話を先に進め、五番目に信ずるべきものとして来世がある。つまり死後の世界だ。来世の存在は世界中のほとんどの宗教に見られる根源的な世界観であり、コーランもまたこれを強調している。来世の存在と、それに続く最後の審判は絶対にして揺るぎない。

日本の出版界では数年前〈人は死ねばゴミになる〉（伊藤榮樹著）とかいうタイトルの本が出版され、私は新聞広告でタイトルだけを見て、

――多分、そうなんだよなあ――

直截《ちょくせつ》な表現に感動を覚えながらも、なお、

――そう言いきるのは悲しいな――

同時に、ためらいを覚えた。

コーランの教えとは対極にある世界観ですね。こんなひどいことを言ったり考えたりしないよう、つねに来世を心に思い描いていることがアラーの信徒としては絶対必要な条件なのだ。この件については、すでにこのエッセイの随所で述べてきた。

だから次に移って、第六番目は天命を信ずること。この世にある一切がアラーによってあらかじめ定められている、という考えかたである。

これもまた、ほとんどすべての宗教が「守護神はアラーではないが」主張してやまないテーゼであるけれど、論理的にはちょっと悩ましい。

すべてがあらかじめ決定しているのならば、なんで神を敬うのか、敬ってなんのたしになるのか、それよりもなによりも神に対して敬虔《けいけん》な性格を受けて生まれてくること自体が天命、すなわち神の思召《おぼしめ》しであるとしたら、人間たちはなんとしよう。神に背いた極悪非道の悪党も、

「おれ、こういうふうに生まれついたんだ」

自分の努力ではどうしようもない、という理屈にならないだろうか。

アラーを敬いコーランをひたすら信じ、来世の恵みを願って善行に励むこと、と、

一切があらかじめ決定していることとは、しなやかに折りあってくれるのだろうか？　たったいま〝悩ましい〟と記した所以《ゆえん》である。この疑問に対してコーランは端的には答えていない。私にはそう読める。

ヨーロッパ文明の先がけとなったギリシャの、ギリシャ神話の運命観は……神の思召しは人知の及ぶものではない。だが、人間を創造した神は人間たちの安寧を考慮しているはずだ。だから自分たちが遭遇する、とてつもない不幸も、先祖の犯した罪の報いであったり、未来への戒めであったり、高い視点で見たときの方策なのかもしれない。人間はただひたすら神の恵みを願って祈り敬うよりほかにない、である。

旧約聖書ではヨブ記が、この問いかけについて具体的な事例を示している。ヨブは徹頭徹尾神に対して敬虔であり、命を賭《か》けて神に祈り、神の恵みを願っている。この信仰には一毫《いちごう》の迷いもないし、疑いの余地もない。ああ、それなのにヨブは何度も何度も耐えがたい苦難にさいなまれる。それでも神を信じ、それでもなお苦痛は続く。この執拗《しつよう》なくり返し……。そして最後にヨブは嵐《あらし》の中に起こる神の声を聞き、悟りに到る。神は最後の最後にヨブを祝福し、多大な恵みを与えるが、ヨブの到達した悟りはなんであったのか。天命と神の恵みを軽々に結びつけたりすることの不敬と愚かさを知ることに関わっているらしい。多分……。だが、それをこの場で私などが云々《うんぬん》すること自体がヨブの悟りに反しているだろう。ヨブの悟りはもっと深いところにあるのだろうが、煎《せん》じ詰めればギリシャ神話の結論に近いような気がしないでもない。

新約聖書は……イエス・キリストの教えは、この地上での苦しみをありのまま受け入れて、絶望をせず、神の恩寵《おんちょう》を求め続けることにある。運命は神の手のうちにあり、地上の苦しみは神に心を預けるための試練と考えている。

さて、コーランは、たったいま述べたように端的には答えていないが、私の見たところ、コーランはマホメットの背後に群がる庶民たちを見すえて、あまり高踏的なことは説いていないようだ。プラグマティズムに傾くことも多い。アラーは何度も何度も〝敬虔であることが、つまり善行を積むことが必ず報いられる〟と告げているのだから、あしき天命を受けて生まれついた者も信仰により救済される、と考えてもよいのではあるまいか。天命は天命として厳然と実在しているけれど、そしてその実在を人間たちが疑うことは許されないけれど、ひたすら神に祈り神に尽すことによりお目こぼしはありうる、ということではないのか。端的には答えていないが、そう読めるところがある。理不尽とも思える不運に見舞われたときは、

――これが天命か。この厳しい天命に対抗するには、ただアラーへの信仰があるのみ――

と信ずること、結果は見てのお楽しみ……。ただアラーより与えられるものを待つよりほかにない。

くり返してまとめておけば、イスラム教徒が信ずるべき六つのもの、それはアラー、天使、啓典、預言者、来世、天命である。具体的な目安としてはアラー、コーラン、マホメット、そして来世（と最後の審判）であろうか。このあたりに信仰の中核があることは疑いない。

次に、この信仰を実際に表わすものとして五行が、つまり五つの行動がある。すなわち信仰告白、礼拝、斎戒、喜捨、巡礼である。

第一の信仰告白は、具体的には〝アラーのほかに神はなし。マホメットはアラーの使徒である〟という二句を唱えてイスラム教への帰依《きえ》を誓うことで代表される。入信の儀式の中核となる宣言であり、また日常これを唱えて信仰心をあらたにする行為でもある。アラビア語で言えば〝ラー・イラーハ・イッラッラー〟。ムハンマド・ラスールッラー〟。イスラム圏を旅すれば、よく耳にする文言である。この二句はコーランに明記されている文句ではないけれど、コーランの内容をぎりぎり短く要約すれば……もっとも大切な部分を昇華させればこの二つになるだろう。

アラーだけが神である、という認識が信仰の根元であることは、イスラム教の信徒にとっては自明であり、またマホメットがその使徒であるという認識は、内容的にはマホメットが受けた啓示、すなわちコーランを全面的に認め、その解釈と布教、その後のイスラムの歴史を細大漏らさず肯定することを意味している。

誓いの言葉というものは、なべて声に出し、くり返して告げて心身に染《し》みてくるもの。日ごと夜ごとの信仰告白に大きな意味があることは疑いない。

実践すべき行動の二番目は、礼拝だ。イスラム教徒のビヘイビアとしてよく知られるものだ。イスラム教徒は旅の最中にも絨毯《じゅうたん》を携帯し、時刻が到《いた》ればそれを広げて祈り始める。その姿をイスラム圏以外で瞥見《べっけん》することもけっしてまれではない。

一日のうちに、いつ、何度礼拝するのか？　たとえばコーランの第一一章〈フード〉では、

〝礼拝は太陽のあるときの両端〔夜明けと日没〕において、また夜の浅いころにかならずおこなうこと。善行を積めば悪業のあとも消える。アラーを敬う者への戒めである〟

（第一一章〈フード〉第一一四節）

とあって、この文章をすなおに読み取れば、朝夕二回、夜に一回、合計三回となる。イスラムの揺籃期《ようらんき》には、礼拝の回数や時刻について多少の揺れがあったらしいが、充分に古い時期から五回と定められ、おおよそ夜明け、正午、午後、日没後、夜半、となっている。そして、それぞれの礼拝にファジュル、ズフル、アスル、マグリブ、イシャーと名前がつけられている。イスラム圏では、一年の礼拝時刻表が太陽の運行にあわせて年ごとに作成されているらしい。当然のことながら日の出、日の入りは一定ではないのだから……。

作法にはいろいろと細かい規定があるらしいが、礼拝そのものの手順は、まずメッカの方角「メッカのカアバ神殿の方角」を望んで立ち、礼拝の意志表明をおこなう。両腕を開いて耳の高さにあげ「アッラーフ・アクバル〔アラーは偉大なり〕」と唱える。この動作をタクビールと呼んでいる。次に両手をおろして前で重ね、コーランの文句を唱える。第一章〈開端〉は欠かさずに。これが直立礼だ。ふたたびタクビールに戻り、今度は両手を膝頭《ひざがしら》に当てて腰を曲げ「至高なるわが主に栄光あれ」と三度唱えて祈る。これが屈折礼。さらに直立礼ののちタクビール、今度は頭を床につけて平伏、ここでも「至高なるわが主に栄光あれ」と三度告げ、これが平伏礼。またタクビール。ついで正座して「主よ、私をお許しください」と唱えてタクビール、平伏礼、タクビール、座礼ののち右手の人差指を立てて「アラーのほかに神はなし。マホメットはアラーの使徒である」と信仰告白をしたのち、首を右に向け、左に向け「あなたたちに平安とアラーの慈悲がありますように」と周囲の人々を祝福する。これで一単位。一ラクアと呼んでいる。

夜明けの礼拝は二ラクア、正午と午後と夜半が四ラクア、日没後が三ラクアと、ややこしい。

十数年前、トルコへ赴いたとき「私としては初めてイスラム圏へ足を踏み入れた旅であったが」朝早くから礼拝の呼びかけがホテル近くの街頭スピーカーから流れ、私は無理矢理呼び起こされてしまった。日中も夜も祈りの時間が設けられていて、あちこちで礼拝が始まる。今にして思えば、これこそがまさしくイスラム教徒が守るべき五行の一つだったのだが、私のほうは寝不足になるし、仕事は中断させられるし……まあ、まあ、まあ、私は一介の旅行者にしか過ぎないけれど、こういう習慣の中で毎日暮らしているとなると、

「よくこんなことで仕事ができますね」

集中力を欠くのではないかと心配したけれど、現地のガイド氏が涼しい顔でいわく、

「それはちがいます。私たちはアラーに祈ることが生活の中で一番大切なことなんです。仕事はその次ですから」

なるほど。生きていることの第一義がアラーへの祈りであるならば、なにをおいても礼拝に励むのが当然のこと、自明であろう。あくせく働いていて、なにがうれしいのか、神のみもとにあって安寧であること、これに如《し》くものはない、というロジックだ。

――一理あるな――

私は、われとわが身の来《こ》しかた行く末を思って、いくばくかの感慨を抱きましたね。充分にややこしいラクアのくり返しも、この視点でながめれば、少しもむつかしくあるまい。かえって深みが感じられるだろう。少しも厄介ではあるまい。

イスラム圏のホテルと言えば、机の一端に、あるいは床の一隅に、矢印が貼《は》られていることが多い。当初は、

――なにかな――

非常口のありかかと思ったが、トンデモナイ、これがメッカの方角、礼拝のときに望む神殿の方向であった。キブラと呼ばれている。

あるいはまた人々が集まるところの壁に、なぜか馬蹄形《ばていけい》の奇妙な凹《へこ》みがあったりし

て、これも初めのうちは、

——なにかな——

と訝《いぶか》ってしまうが、この凹みはミフラーブと呼ばれてキブラを、つまりメッカのカアバ神殿の方角を示している。まったくの話、イスラム圏の遺跡を訪ねていると、崩れかけた古いモスクの壁に、凹みと言われれば凹みのような痕跡《こんせき》があって、

——なにか飾ったのかな——

と思いたくなってしまうが、偶像崇拝はイスラム教の御法度《ごはっと》。これもミフラーブと考えて、まず外れはない。

あるいは凹みではなく、ただの模様や印であったりして、これも違和感を覚えてしまう。唐突な印象を与えられてしまう。さながら門構えのように両側に二本の門柱が立ち、なのに奥にはなんにもない、というケースもある。充分に目立つものでありながら異教徒には意味がわからずに、奇妙な感触を抱いてしまうのだ。しっかりと目を開いてミフラーブを見張らーばねばなるまい。

ジョークはともかく、ミフラーブが示す方角、キブラは初めからメッカの方《かた》ではなかった。当初はエルサレムの方角であった。現在の岩のドームあたりだろうか。コーランの第二章〈雌牛〉には、こんな記述がある。

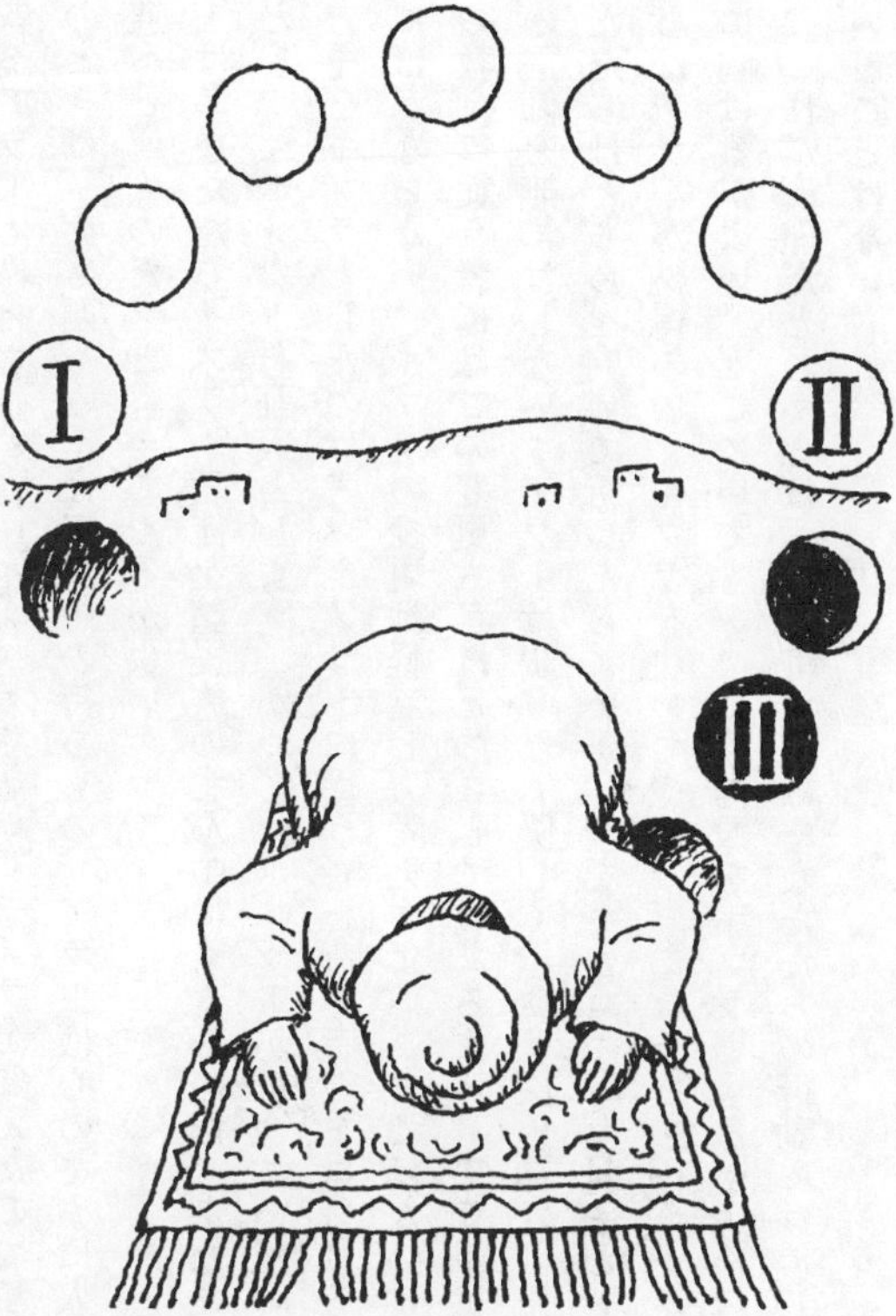
I
II
III

〝愚か者がアラーに尋ねるかもしれない。「どうしてキブラを変えたのですか」と。そのときは「東も西もみんなアラーの持ちもの。アラーは心のままに人々を正しい道へと導くのだ」と答えてやるがよい。

アラーはあなたたちイスラム教徒を諸民族のまん中にすえたのだ。あなたたちを証人とし、マホメットを証人としよう。かつてマホメットが祈っていたエルサレムの方角をキブラとしたのは、マホメットに従う者と背く者とを見分けるための方便にほかならない。キブラの変更は軽々しく考えてよいことではないけれど、アラーの教えに従う者にはこの変更もさほどのことではあるまい。アラーはあなたたちの信仰を無にはしない。アラーは限りなく優しく、慈悲深い神なのだから。

あなたたちはどちらを向いて祈ったらよいか、空をキョロキョロ見まわしている。ならばアラーが納得のいくキブラを決めてやろう。あなたたちの顔をメッカの神殿に向けるがよい。どこにいてもメッカの神殿をキブラとするがよい。啓典の民は、これが真理だとわかるはずだ。アラーはあなたたちの行動にけっして無関心でいることはない。

啓典の民と言ってもユダヤ教徒やキリスト教徒は、マホメットの示したキブラに従うことはあるまい。あなたたちも彼等が示すキブラにはもう従うまい。おたがいに、自分のキブラを求め、ほかのキブラを崇《あが》めたりはしないものだ。こう教えられてもなお「どうしてキブラを変えた」などとつまらない疑問に固執するなら、それは不義をなす者たちの仲間である〟

（第二章〈雌牛〉第一四二～一四五節）

とあるのだが、隔靴《かっか》掻痒《そうよう》、いまいちピンと来ないかも……。ほかの資料を参考にして説明すれば……イスラム教とユダヤ教との関わりは深い。マホメット自身も当初は自分の思い描く信仰についてユダヤ教に近いものをイメージしていたふしがある。イスラム教が成立したあとから振り返るのでは当初の雰囲気を明確に想起するのはむつかしいだろうけれど、成立以前にはマホメットが周囲の一神教に……つまり充分に成熟したユダヤ教にこれからの雛型《ひながた》を望んだのも無理はない。

ユダヤ教の有力な預言者であるアブラハムを同じ祖先として展望し、そのアブラハムとゆかりの深い聖地エルサレムを……わが子をいけにえとして神に捧《ささ》げようとしたモリヤの丘あたりをマホメット自身もいったんは信仰の拠《よ》りどころにしよう、と考えたのだろう。

ところがユダヤ教・キリスト教との対立が顕著になるにつれ、

――これはまずい――

少なくともエルサレムを第一の聖地と考えるのは適当ではない。みずからの信仰のオリジナリティを明確化するためには、エルサレムとはべつなところへ……マホメットの信仰の原点でもあったメッカへ第一の聖地を置くほうが絶対によろしい。当初キブラをエルサレムとしたことについては、ほんの少しくらい、

――まずかったな――

反省があったかもしれない。

いま引用したコーランの啓示は、ヒジュラ暦三年（西暦六二四年）の頃と推定されている。というより、この年の二月にキブラの変更が実行されており、それゆえにこの啓示がその頃のものと推定されたのだろうが、いずれにせよマホメットがヒジュラを敢行して、いよいよ新しい共同体ウンマの確立に確かな展望を持ち始めたときに、この変更がおこなわれた。その理由は充分に納得がいく。

そこで、である。ユダヤ教やキリスト教の聖地でもあるエルサレムをキブラとしていたことについてマホメットが心中に抱いていた「かもしれない」なにほどかの狼狽《ろうばい》に対して……さらに言えば、その変更について、

「なによ。今までエルサレムだったのに、急にメッカに変えるの？　キブラって、そんなに簡単に変えていいものなの？　ヘンテコだわねえ」

あしざまに言うやからの批判に対して、アラーみずからが、

「いいんだ、いいんだ。どこだってアラーの支配する場所なんだ。アラーを信じて行動すればまちがいはない」

と慰め、さらに、

「エルサレムをキブラとしたのは、あとでキブラをメッカに移したとき、だれがマホメットに従い、だれが従わないか、それを判別するための下準備だったのよ。論より証拠、ユダヤ教徒やキリスト教徒はメッカに向かって祈ったりはしない。だからいい加減なやからを見分けるのに役立つ。これからはメッカのカアバ神殿がキブラだ。もう変わることはない。つまらない考えにいつまでも固執しているんじゃないぞ」

と、深謀遠慮がめぐらされていたことを明らかにしている。

あと追いの理屈のような気がして、少し釈然としないところもあるけれど、むしろはやばやと……ヒジュラ三年にして、キブラをメッカに変更したことに対して、

「さすがマホメット。いや、ちがった。さすがアラーの慧眼《けいがん》」

見通しのよさとして感服するべきだろう。イスラム教のオリジナリティのためには、

ぜひともこうでなくてはおかしい。

因《ちな》みに言えば、イスラム教では現在、メッカが第一の聖地、マホメットの没した土地メディナが第二の聖地、そしてエルサレムがかつてのキブラであったことも手伝って第三の聖地とされている。

日本から見れば、メッカは真西と西南西のあいだくらい。イスラム教徒のためには世界中どこへ行ってもキブラがわかる、充分に正確なメッカ磁石が作られて販売されているらしい。

イスラム教徒がおこなうべき五行のうち三番目にあるのが斎戒。日数を定めて心身を戒め慎むことを指す。コーランは斎戒について、

〝信仰を持つ者たちよ、あなたたちには、以前の信者たちと同様に断食《だんじき》が定められている。この規律を守れば、あなたたちにもおのずと神をおそれる心が生ずるであろう。

断食には定められた日数がある。病人や旅にある者は、あとで断食ができるようになったときに、休んだ日数だけを実行すればよい。どうしても断食ができな

いようなら、償《つぐな》いとして貧しい人に食べ物を施すこと。なにごとであれ進んでよいことをおこなえばよい報いが受けられる。できれば断食の精神をよく汲《く》み取って規則通りに断食をおこなうのが最善であることは言うまでもあるまい。ラマダーン月は、人類の導きとして、また正邪識別の規範として聖なるコーランが下された月である。だからこの月のあいだ、家にいる者は断食をしなければいけない。病人や旅にある者は後日に同じ日数だけ断食すること。アラーはあなたたちにむつかしいことを求めない。やさしいことを求めているのだ。だからあなたたちは定められた期間の断食をまっとうして、よい導きを示してくれたアラーを讃美《さんび》し、感謝の心をはぐくめばよい。(一節略)

断食の夜には、あなたたちが妻と交わることを許してやろう。妻たちはあなたたちの衣、あなたたちは妻たちの衣、たがいに包みあい、保護しあい、いとしみあうものだ。アラーは、あなたたちが欲情をこらえているのをよく知って不憫《ふびん》に思い、許しを与える。妻たちと交わり、定めに従って飲食を楽しむがよい。だが、夜が明け始め、白糸と黒糸との見分けがつくようになったら、また断食へ戻って夜まで身を慎しむことだ。礼拝堂では妻たちと交わってはいかんぞ。これはアラーの掟《おきて》だから断じて踏み越えてはいけない。アラーは人々に導きを示し、神をおそれる人々とともにあることを忘れてなるまいぞ〟

（第二章〈雌牛〉第一八三〜一八五、第一八七節）

とあって、ここもこれだけでは詳細はわかりにくいだろう。斎戒もまたユダヤ教の影響を受けた習慣であり、早い時期から苦しさの中に身を置いて神への畏敬《いけい》を深める行為として実践されていた。斎戒の中核をなすのは断食である。それゆえに五行の一つとして、これに断食という訳語を与えているケースも多いが、飲食だけではなく性の営み〔自慰も〕や喫煙まで禁じられる。斎戒のほうがより適切であろう。

ラマダーンはイスラム暦の九月。イスラム暦は太陰暦で、一年は太陽暦の一年より十一日ほど短い。そのため九月と言っても、太陽暦の季節感とは一致せず、少しずつ動いていく。寒い九月もあれば暑い九月もある。斎戒の苦しさは一様ではない。

イスラム社会の月の区切りは、新月の現われるのを見てから次の新月を見るまで。二十九〜三十日間である。ラマダーン月が来ると斎戒が始まり、日の出の少し前から日没の直後まで飲食はもちろん性的接触、喫煙、唾《つば》を飲み込むことさえ禁じられる。そして夜に到《いた》れば、次の日の出前まで、一切が許される。ドンチャカ、ドンチャカ……。このくり返し。

文字通り、特別な一カ月であり、神への畏敬を深めるばかりではなく、みずからの生きかたに思いを馳《は》せ、また普段とはちがう夜中の団欒《だんらん》を家族や近しい者たちと一緒に味わう機会にもなるとか。

ラマダーン月とはべつに個人的な斎戒もあり、これは、たとえば神との誓いを破ったときには三日間の斎戒〔第五章〈食卓〉第八九節〕あるいは一度離婚した妻とふたたび親しくなるときには二カ月の斎戒ののちに〔第五八章〈抗弁する女〉第四節〕とか、みずからのマイナス点を償うために実行されることも多いようだ。

四番目は喜捨。コーランでは随所に喜捨の推奨が記され、この善行がかならずや後日に報いられることが説かれている。高利で人に金銭を貸す人は、たとえ利殖がなってもアラーの前にはなにも積むことができない。喜捨する人には二倍、三倍の恵みが積まれる〔第三〇章〈ビザンチン〉第三九節〕とか。

一方、施しを受けるのは、

〝集まった喜捨の使い道は、貧しい人、生活に困窮している人、喜捨の徴収・管理をおこなう人、おくれてイスラムに加わった人、解放を求める奴隷《どれい》、借金を負うている人、アラーの道の伝道者、旅人、である。これはアラーの定めであり、アラーは全知にして事情をよく心得ているのだ〟

（第九章〈悔悟〉第六〇節）

と限定されているが、こういう人々の中からアラーに敬虔《けいけん》である人が選ばれるのは言うまでもない。

喜捨についてぜひとも説明しておかなければならないのは、ひとくちに喜捨と言ってもザカートとサダカの二区分があることだ。

ザカートは義務的に課せられる喜捨で、むしろ税金に近い。コーランではかならずしも二つの区分が明確に示されていないけれど、マホメットの生存中からザカート的な徴収が制度的に慣行されていたようだ。商取引きの利益、所有する家畜、農作物の収穫、所有する財産などなどに対して二～十パーセントくらいのザカートが求められ、これは今でも形を変えて残っている。

これに対してサダカのほうは、私たちが広く理解している慈善的な献納に近く、金銭や物品だけではなく、奉仕活動や慰めの言葉などもこの中に含まれている。

ザカートであれサダカであれ、社会に実在する苦痛や不平等を、神のもとで慰撫《いぶ》修正し「根本的な解決は現世ではむつかしいけれど」来世を展望しながら、せめてもの潤滑油を注ごうという試みである。これを五行の一つとして法制的に、慣習的に強く主張するところにイスラム教の特徴が見えている。

そして最後に控えるのが巡礼ですね。各地の由緒《ゆいしょ》あるモスクに旅をして参拝する小巡礼も実在しているけれど、一般にはイスラム暦の十二月上・中旬にメッカのカアバ神殿に詣《もう》でる大巡礼を指す。

が、この大巡礼についてコーランはほとんど触れていない。敬虔な心でモスクに詣でること、つまり小巡礼についてはいくつかの勧めと注意が示されているけれど、大巡礼には付言していない。

それもそのはず、大巡礼はマホメットがみずからの死を覚《さと》ってメディナからメッカへ赴き、いわゆる別離の巡礼をおこなったことに因んで始まり、歴史の中で発展して今日の姿となったものである。イスラム教徒に課せられた義務であり、一生のうちにせめて一度だけでも、

――メッカに詣でたい――

これはイスラム教徒の絶対の願望である。

定められた期日が近づくと、世界の各地からイスラム教徒が集まってくる。その数、百万人以上。同じ衣裳《いしょう》、同じ帽子、そして口々に同じ文句を、

「アッラーフ・アクバル」

「アッラーフ・アクバル」

つまり「アラーは偉大なり」と唱える。

同じ宗教の信奉者が一堂に、いや、一堂どころか見渡す限りの視界いっぱいに蝟集《いしゅう》して同じ神を同じ言葉で称《たた》える。この結集力がもたらす高揚感はただごとではあるまい。イスラム教徒以外は近づくことも叶《かな》わないけれど、たった一枚の写真を見ても、おおよその見当がつく。望見の写真だけで鬼気迫る気配さえ感じてしまう。

この大巡礼のプロセスは……メッカに近づき、仕度を整え、定めの行動をとって聖域に入り、神殿の壁近くでひざまずいて祈り、さらに聖域を立ち去るまで、いくつものややこしい作法が設けられている。その一つ一つに歴史と意味が秘められているのだろうが、詳説を避けて、これを専門に綴《つづ》った野町和嘉《かずよし》著〈メッカ〉(岩波新書)を紹介するに留めておこう。

おびただしい数の信者で埋め尽される聖域のまん中にあるのが、黒く、四角いカアバ神殿。仕様を記せば、平面図ではほぼ十メートルと十二メートルからなる長方形で、

四隅がおおむね東西南北を指している。東北の壁面が正面に当たる。高さは約十五メートル。黒く見えるのは黒地の布で覆《おお》われているから。この布地にはコーランの言葉などが刺繡《ししゅう》され黒い四面を飾っている。屋上には灰色の大理石が敷きつめられているようだ。

そして神殿の中は、と問えば、実際に入った人の話によると、がらんどう。アラーは一切の偶像崇拝を否定しているから……。なにもない空間にただ妙《たえ》なる気配が漂っているそうな。

この地に聖なる神殿が設けられた由来をコーランに求めれば、

〝アラーが人々の集まり来《きた》る場所として、また平安の館《やかた》としてこの神殿を設けたときを思い起こせ。アラーは「イブラーヒームが礼拝に立ったところを、あなたたちの祈りの場とせよ」と命じた。またイブラーヒーム、イスマーイールと契約して「ここでおめぐりをし、お籠《こも》りをし、平伏して祈る人々のために、あなたたちが神殿を清めなさい」と言いわたした。

イブラーヒームが祈って「メッカを平安の町としてください。そしてアラーと最後の審判を信じてここに住む人々のため、どうか果実をお授けください」と告げたとき、アラーは「信仰のない者も束の間《つかま》の楽しみを味わうだろうが、やがては業火《ごうか》の懲罰に追いやられる。行きつく先の恐ろしさを知るがよい」と答えた。イブラーヒームとイスマーイールが聖殿の基礎を定めたときのことを伝えておこう。二人はこう言った。「神よ、私たちの奉仕を受け入れてください。あなたは全知全能の神。

私たちを、あなたに従い、あなたに帰依《きえ》する者としてお認めください。私たちの子孫もまたあなたに従い、あなたに帰依する者としてお認めください。私たちに祭儀のやりかたを教え、あわれみをお示しください。あなたは寛大にして、慈悲深い神……」〟

（第二章〈雌牛〉第一二五～一二八節）

とあって、これは昔、昔、旧約聖書ではアブラハムとイシュマエルと記されている二人がメッカまで来て、アラーとの契約によりカアバ神殿を信仰の基《もとい》としたことを、アラー自身が告げている、ということだ。

先に私は神殿の中はがらんどうと記したが、神殿の壁面となると東角にはイブラーヒームが建立《こんりゅう》したとき天使がもたらしたと言われる黒石が埋められ、北西の壁の半円囲いにはイスマーイールと、その母ハージャル〔ハガル〕が埋葬されている、と伝えられている。極端に偶像崇拝を排しているけれど、伝説のよすがとなるものが皆無というわけではない。

以上、六つを信じ、五つを実行するイスラムの日常のあらましを知っていただけただろうか。

# ❼ 砂漠のフェミニズム

むかし、むかしの大むかし、天地創造の直後にアーダム〔アダム〕は、自分と姿形の異なる美しい人間が現われるのを見て、

「ハウ・ワー・ユー？」

と尋ねた。

なんで英語で尋ねたのか？

ごめん、ごめん、この相手〔ユー〕がハウワーであり、だからハウワー、ユー……。つまり人類最初の女性イブのことをイスラムではハウワーと呼んでいる。豆知識として記憶するのに役立つ。

ただの駄じゃれと蔑《さげす》むなかれ。私は以前フランス人の数学者と話をしていて、ルート5の数値を二・二三六〇六七九、と、たちどころに答えて、ずいぶんと感心されたことがある。

ご存知、富士山ろくオウム鳴く、の語呂《ごろ》あわせ、日本人ならほとんどが知っているだろう。駄じゃれの効用、ばかにはできないときもある。

閑話休題、すでに何度かくり返したことだが、コーランと旧約聖書は世界観において共通するところが多い。人類の誕生も、その一つ。アダムとイブのエピソードによく似た記述があることを、このエッセイの第1話でも紹介したが、類似の記述はコー

ランの随所に散っている。おさらいの意味を含めて、コーランの第四章〈婦人〉の冒頭を引用して示せば、

〃人間たちよ、アラーをおそれ敬え。アラーはまず男を創《つく》り、その男の魂から女を創って妻となし、この二人から多くの男女を誕生させて地上に撒《ま》き散らした。あなたたちはそのことを知ってアラーをおそれ敬うように。アラーの御名《みな》によって願いごとを訴えよ。そしてまた、母の胎《たい》を敬え〃

（第四章〈婦人〉第一節）

と短く記している。この最初の女性がハウワーだ。同じエピソードを断片的にいろいろなところで述べるのもコーランの特徴の一つなのだが、ここではハウワーを中心に事情を追ってみよう。

実を言えば、ハウワーの名前そのものはコーランには載っていない。一般的にコーランは具体的な人名について明示をしないケースが多いのだが、

——アーダムのほうは出しているのに——

と、ハウワーの名前がないのは残念。一応名前があるのだから、ここではわかりや

すさを採って名前を明記しておこう。

ご用とお急ぎのかたのためにややこしい引用を避け、天地創造のエピソードについて、コーランと旧約聖書を対照して要点を示せば……まずコーランではアラーが七つの天を創造したのち、アーダムを創り、彼に英知を与えた。旧約聖書ではこの男の肋《ろっ》骨《こつ》から女が創られたとなっているが、コーランでは男の魂から女が創られたらしい。しかし、肋骨は人間の魂のありかを示しているという解釈もあって、ならばこの二つは同じことを告げているのかもしれない。そしてコーランでは、アーダムもハウワーも楽園で自由にふるまい、好きなものを食べてよいと神から許されるが、ただ一本の木だけには近づいてはならない、と命じられる。ところが悪魔が〔蛇ではなく〕二人をそそのかし、つまずかせる。蛇と悪魔とのちがいには……私なんか、

——似たようなものじゃないの——

と思いたくなるけれど、ここには教義的な解釈の差異があるらしい。

が、それはともかく、もっと顕著なちがいは……旧約聖書では蛇はまずイブを誘惑し、イブがアダムへ禁断の木の実をわたして食べさせているのに対し、コーランでは男二人が一緒にそそのかされている。つまり、その……女は誘惑に乗りやすく、また男を騙《だま》して責任をなすりつける、と私が言うのではなく、旧約聖書の記述は、そんな気

配を漂わせているけれど、コーランのほうは共同正犯であり、むしろ悪魔はアーダムのほうに直接誘いかけているくらいである。女性の名誉のために、ひいてはコーランの名誉のために一応触れておこう。

本題に戻り、罪を犯したアーダムとハウワーに対して、

〃しかし、この後、アラーはアーダムを見捨てずアーダムの悔悟を認めて許し導いた。

アラーは言った。「あなたたち二人はここを去れ。そして敵同士となる。だが、私の導きが下れば不幸をまぬかれるだろう」と〃

（第二〇章〈ター・ハー〉第一二二〜一二三節）

とあって、この数行には事実経過の交錯が感じられるが……つまり罪を犯した二人が楽園から追放され、仲たがいし、そのあとアーダムの悔悟が認められた、というプロセスのほうが順当だろう。同じく追放を受けたハウワーは今日のスリランカに落ち、年月の経過ののち悔悟と善行を認められ、メッカ近郊の荒野でアーダムと再会、人類の祖となった。

この二人から生まれたのが〔これもコーランは名前を明らかにしていないが〕カービルとハービールの兄弟で、

〃マホメットよ、アーダムの二人の息子たちの話を伝えてやれ。二人の息子が神に供えものを献《ささ》げたとき、弟のものは受け入れられたが、兄のものは拒否された。兄は怒り「なんだ！　おまえばかりが贔屓《ひいき》されて。ぶっ殺してやる」と言ったが、弟は「アラーをおそれ敬う者だけが受け入れられるのです。

たとえ兄さんが私を殺そうとしても、私は兄さんを殺しません。私はただ全能の神アラーをおそれて従うだけです。

兄さんが自分自身を見失った科《とが》と、私を殺した罪とで地獄に落ち火で焼かれても仕方ありません。罪を犯した者に科される当然の報いですから」と答えた。

弟の忠告にもかかわらず、兄は憎しみを収められず、弟を殺してしまう。

アラーは一羽の烏《からす》をつかわし、地を掘らせ、弟の死体を葬《ほうむ》らせた。兄は、それを見て「ああ、情けない。私は弟の死体を葬ることもできず、烏にも劣る者なのか」と嘆き、自分が犯した罪を後悔した〃

（第五章〈食卓〉第二七～三一節）

これは言うまでもなく旧約聖書のカインとアベルの物語である。コーランが古い聖典をまねたのか、同じ出来事をアラーが力点を変えて伝えているのか、啓典解釈の根幹に関わる大問題だが、ここでは深くは触れずにおこう。

イスラムの女性問題は私たちにとってなんとなく気がかりなテーマだが、コーランはどう綴《つづ》っているのだろうか。

結論を先に述べれば、コーランは例によってこの厳粛なテーマを、集中的に、一カ所に集めて詳説する方法を採っていない。が、それでもせっかく〈婦人〉という章が設けてあるのだから、この章のあちこちをまず追いかけてみよう。アラーは男性に呼びかけ、

〝あなたがたが、もし孤児たちを公正に扱えないようなら、気に入りの女性を二人なり、三人なり、四人なり娶《めと》るがよい。だが、もしこうして娶った妻を公平に扱えないようなら一人だけに留めておけ。あるいは奴隷《どれい》女で我慢するがよい。不公平を避けるためには、これがよいのだ〟

と、こういう明言があるものだから、イスラム社会での一夫多妻制がことさらに喧伝《けんでん》されやすいが、この数行の解釈は一様ではない。まず初めにこの啓示はウフドの戦いの直後に顕《あらわ》れたものであり、戦闘の結果マホメットの周囲に多数の寡婦《かふ》と孤児が生じてしまった。その救済の手段として提示されたのが、この示唆《しさ》である。当然のことながら複数妻を持って孤児〔父を失った子〕を公平に養うのはむつかしい。もしそれが可能であるならば、という主旨であり、原則は一人妻、困難な社会情況に対するセーフティネットとして多妻を許す啓示があった、というのが標準的な解釈である。

だが、マホメット自身が〔アラーの許しがあったにせよ〕複数妻を持っていたし、有力者の中にはそれに倣《なら》う者もいた。さらに時が移りイスラム社会が多様化すると、蓄妾《ちくしょう》的な傾向があらわな〔寡婦救済とはちがう〕一夫多妻制も現実に見られたりして、きれいごとだけでは片づけられない側面が、なきにしもあらず。現代でも石油産業で財をなしたアラブの富裕階級にはこの啓示を妻妾保持のエクスキューズとしている人もいるようだ。

つまり原則は一夫一婦、それがほとんどの庶民の現実であるけれど、条文の解釈が玉虫色を帯びることもある、ということだ。

〈婦人〉の章では遺産の問題の解釈がかまびすしく、

〃アラーはあなたたちの子どもについてこう命じている。男の子は女の子の二人分を受ける。もし女の子だけが二人以上いるときは、みんなで三分の二を受ける。女の子一人のときは二分の一だ。故人に相続人として男の子のほかに両親があれば両親はそれぞれ六分の一を受ける。男の子がなく、両親だけが相続人である場合は、母親が三分の一を受ける。また故人に兄弟がある場合は母親は六分の一を受けることとなる。いずれの場合も、故人が特別に遺言したもの、そして故人の債務として計上されるものは別扱い、それらをさし引いた残りについてのことである。あなたたちの親と子の、どちらがより多く恵みをあなたたちにもたらしてくれるものか、これはアラーの思召《おぼしめ》し次第、あなたたちの知るところではない。なによりもアラーの掟《おきて》を守ることが大切だ。まことに、まことにアラーは全知全能の神である。

あなたの妻が残したものは、彼女に子がなければ、半分があなたのもの。もし子があるならば、特別に遺言したものと債務をさし引いた残りの四分の一をあなたが受け取ってよい。また、あなたが遺贈する場合は、子がなければ妻は四分の一、子があるなら特別に遺言したものと債務をさし引いた残りの八分の一が妻の取り分となる。もし故人に両親も子もなく、兄弟姉妹が一人だけある場合は、六分の一を受ける。兄弟姉妹が複数ならば、三分の一をみんなで分ける。いずれも特別に遺言したものと債務をさし引いた残りについてであり、だれかに損失をもたらすことはない。これがアラーの定め。アラーは全知全能にして寛大である〟

（第四章〈婦人〉第一一～一二節）

とあって充分に細かい。アラーの神もここまで示唆するとなると、

——大変だなあ——

と考えるのは私だけではあるまい。

遺言の分配についてコーランはところどころに記しており、その心は孤児と女性に対して経済的ないたわりを尽すことを旨《むね》としている。立場の弱い者に恵みを与えることを命じ、未成年者や女性の生きる権利に目を配り、それを明文化しているところは、古い時代の啓典として特筆されるべき長所だろう。コーランは男性の横暴さだけが跋《ばっ》

扈《こ》する世界ではない。

とはいえ、この章の第三四節には、

〝男は女より上位にある。アラーが男と女のあいだに優劣をつけて創ったからであり、また生活に必要な金銭も男が作り出すのだから、この上下は当然である。女は貞淑を旨として従順に従い、夫の留守のあいだも身を慎しまなければならない。反抗的な女に対しては、よく諭《さと》すこと。ときにはベッドに置き去りにしておくことも仕方ないし、効きめがなければ殴ってもよい。ただし言うことを聞くようなら、それ以上の仕打ちを加えてはならない。アラーは高潔にして偉大である〟

（第四章〈婦人〉第三四節）

とあることにも触れておかなければなるまい。男性は女性より強く、上位にあるものとして創られ、上位である根拠としては、経済力を持って女性を養う立場にあるから、と古典的な男女観が示されている。

話は、まことに、まことに大きく飛躍して恐縮だが、夏目漱石《そうせき》の小説に〈こゝろ〉がある。日本文学に冠たる名作。私の愛読書の一つなのだが、ある日あるとき、ある女性から、

「ああ、あの小説ね。女性蔑視《べっし》文学でしょ」

と言われて驚いた。

「そうかなあ。思いやりの深い小説だけど」

「それがいけないのよ。奥さんに対してとても親切だけど、人間として信頼してないからね。奥さんなんか、いたわるだけの、ただのお飾り」

「うーん」

と唸《うな》ってしまった。

言わんとすることがわからないでもない。〈こゝろ〉の主人公格である〝先生〟は、自分の結婚のいきさつに関して重大な秘密を持っている。妻にうち明けたら、

「そんなことがあったんですか」

妻がショックを受け、おおいに悲しむだろう。さぞかし妻は傷つくにちがいない。それが痛《いた》ましい。〝先生〟自身も、この秘密が原因となって自信を失い、人間を疑い、世捨て人のような一生を送り、最後は自殺まで敢行する。しかも、その秘密は妻とな

った人とまんざら関係のない出来事ではないのだ。

にもかかわらず、〝先生〟は妻にはなにも話さない。深いいたわりから沈黙を守り、墓場にまで秘密を持っていく。小説の流れの中で弟子には遺言を残して語っているのに……。

なるほど、妻を信頼し、一個の人間として尊重していたら……これはないぞ。相手は一生をともに生きる大切な伴侶《はんりょ》ではないか。辛《つら》さを共有して励ましあい、慰めあい、理解しあうのが本当の愛であり、あらまほしい夫婦の姿ではないのか。それを考えると〝先生〟のビヘイビアはおかしい。一ランク下のものとして女性をながめ、弱いからいたわってやる、なのである。根本において女性蔑視と言われれば、その通り。

――明治の男の良心は、ここまでだったんだなあ――

と思わないでもない。以来、私は〈こゝろ〉を名作と評するのを少しためらっている。明治の夏目漱石ばかりではなく、現代でも充分にやさしく、良識的なジェントルマンにして、そのやさしさにこの傾向を含む人はけっして少なくはない。横暴で粗野な男よりはずっとましではあるけれど、時代が二十一世紀まで進んでは、このビヘイビアは根元において女性をきちんと認めていない、と言われても仕方ない。

なにが言いたいのか？

コーランの女性観もこれに近い。私にはそう見える。古い時代のことなのだから全知全能のアラーでも、

――今のところは、このへんで――

だったのかな。

男は女より上位にある、と、これが大原則であり、だが、それをいいことにして権力を貪《むさぼ》ったりせず、充分に女性をいたわり、女性の権利を保証せよ、という具体的指針がここでは示されているのだ。現実的ではあるけれど、男女平等の理念からは少し外れている、という見方もおおいにありうるだろう。

遺産相続についての引用を掲げたついでに、もう少しこの件について説明を加えておけば、アラーはずいぶんと細かいルールを示しているけれど、それでもなお現実にはこれだけでまかないきれるものではあるまい。コーランの他の部分を加えても似たり寄ったり……。つまり遺産相続の実務は、さまざまな家族関係が実在しているから真実ややこしい。充分に網羅的な規定を備えていないとトラブルが生じてしまう。コーランの記述では足りない。アラーは代表的なケースをいくつか採りあげて基本的な掟を例示し、あとは〝これに準じておこなえ〟という方法を採用した、と考えるべきだろう。

二三一～二三二ページに引用した部分についても、遺言と債務はどちらを優先するのか、故人に兄弟がある場合、母親が六分の一をもらうのはわかったが、父親は六分の五なのか、などなど、これだけでは判じかねる事態が充分にありうる。アラーは、言ってみれば帰納的方法を採ったのであり、代表的な事例を挙げて全体図の推測を委《ゆだ》ねている。

　この不足を補うようにコーランに準ずる聖典ハディースには、遺産の実務についてもう少し詳しく示されている。ほかにもいろいろな慣行が定められていたにちがいない。ここでは遺産分配の理念を示し、女性の立場をうかがうだけに留めておこう。

〈婦人〉の章からもう少し、気がかりな部分を引用して示せば、

　〝妻に不貞の疑いが生じた場合は、四人の証人を立てなさい。四人が不貞を証言したならば、彼女を家の中に監禁し、死が彼女を連れ去るか、あるいはアラーがなにか特別な道を彼女に与えるか、そのときまでそのままにしておくがよい。

　二人で不義を犯した場合は二人とも処罰すること。二人が改悛《かいしゅん》して充分に償いを示したら放っておくがよい。アラーは情け深く、まことによくお許しになる。

とはいえ許しがあるのは、知らずに罪を犯し、そのあとすみやかに改悛した者だけである。これはアラーもお許しになる。全知にして寛大な神なのだ。だが死に到《いた》るまで悪事を重ね、いまわのきわになって「ここで悔い改めます」では許されるはずもない。不信心のまま死ぬ者もまた同じ。アラーはこういう者たちには痛烈な懲罰を用意しておるぞ〟

（第四章〈婦人〉第一五〜一八節）

どなたも関心がある不倫のこと……。まず妻の不貞を言い、次に二人で罪［不義］を犯した場合を言っているが、妻の不貞は一人で犯すものじゃあるまいし、この二つはどうちがうのか、少しわからないところもある。しかも前者の罰は一生ものの監禁、後者のほうは改悛により許されるらしい。ずいぶんと扱いがちがうなあ。そこで考えるのだが……コーランでは結婚以外の男女関係を認めていないから〝二人で不義を犯した場合〟というのは、独身男女がラブホテルなどにしけ込んだようなケースを指すのだろうか。これなら放っておけば結婚することもあるだろうし、改悛があれば許されてもよいような気がする。この解釈、ちがうだろうか。まさか〝二人で罪を犯す〟は同性愛のことではあるまいし……。

さらに引用を進めれば、

〝信仰を持つ者たちよ、あなたたちは故人の妻を当人の意志に反して相続し、もらい受けてはならない。また結婚のさいに与えた結納金《ゆいのう》を取り戻そうとして、去っていく女の再婚をさまたげたりしてはいけない。ただし彼女に明らかな不貞があれば話はべつである。意にそわない女でも仲よく暮らすことが大切だ。我慢をすることだ。そういう女でもアラーがなにかしらよいものを賦与《ふよ》している。それが女からあなたにわたることもあろうから。

あなたたちが妻を取り替えようとするときには、先の妻に今までどれほどの財産を与えていようとも、それを取り返そうとしてはならない。根拠のない中傷を撒《ま》き散らして財産を取り戻そうとするなど、もってのほか。

どうしてそんなことを考えるのか。いっときは深い関係を持った相手ではないか。歴とした誓約も彼女はあなたから受け取っているはずだ〟

（第四章〈婦人〉第一九～二一節）

いったん妻とした以上、簡単に別れないほうがよいし、別れるとしても前に与えた財産を取り戻そうとするなんて、トンデモナイ、という戒めである。が、それはともかく、コーラン全文を読み通し、私だけの漠然とした印象なのかもしれないが、女性問題について語られるとき離婚や不貞に関する訓戒が多いような気がする。恋愛が許されず禁忌が厳しいと、しなやかな男女関係がそがれてしまうのではないのかな。そう考えるのは私の偏見なのだろうか。

もちろんコーランはイスラムの揺籃期《ようらんき》に下された啓示であり、永遠の真理とされながらも時代の推移により力点を微妙に変えて読み取らねばなるまい。現代ではイスラムを奉ずる国や民族も多岐に分かれ、風俗習慣もそれぞれで相当に異なっている。コーランの掟に多様な解釈が設けられているのが実情だ。ここではただ〝コーランにはこう書かれています〟と示すのを主眼としておこう。諒《りょう》とされたい。

〈婦人〉の章はこのあと女性問題を離れ、信者への一般的な教訓、あるいは戦時下の心得などに多く筆がさかれていく。コーランの各章のタイトルが中身を必ずしも集約していないのは毎度のことではあるけれど、第六五章に〈離婚〉があって、これはやっぱり女性と関わりが深い。早速覗《のぞ》いてみれば、

〝マホメットよ、あなたたちに伝えておくが、離婚をするときは一定の期間が過

ぎてからにしなさい。アラーをおそれ、その期間をきちんと計算しなさい。妻たちに明白な不貞がない限り、みだりに家から追い出してはならない。また期間が過ぎないのに彼女たちを出て行かせてはならない。これはアラーの掟《おきて》である。掟に背《そむ》く者はみずからをそこなう者、あなたは気づかなくともアラーはそれを知り、後になにかよくないことが起きるだろう。

一定の期間が過ぎたなら、妻とはべつな立場で彼女を留めるもよし、正しい扱いを示して離婚をするもよし。公正な証人を二人立て、アラーに対して証言をするがよい。これがアラーと最後の審判を信じる者にくだされた訓戒である。アラーをおそれ敬う者には救いの道へ到る戸口が用意されている。

思いがけないところから恵みがもたらされることもあろう。アラーを信ずる者はアラーだけで充分、ほかになにも必要としない。アラーはいっさいを心のままに営み、いっさいに期限を設けている。

妻たちの中で、もう月経がないと推定される年齢に達した者でも、疑いがあるならば三カ月の期間を待つよう命じておこう。また月経を見ない者も同様である。妊娠している場合は子どもを生み出すときまでは待つように。アラーをおそれ敬う者にアラーは必ずよい結果をもたらしてくれる。

これはアラーがあなたたちにくだす命令なのだ。アラーをおそれ敬う者に対してはアラーが諸悪を払い、よい報いを増大させてやろう。
離婚した女でも彼女が望むならあなたたちの家に住まわせてやるがよい。意地悪をしたり、ひどい仕打ちを加えたりしてはならない。もし妊娠していたら出産するまでよく面倒を見てやることだ。授乳については報酬を与えるように。とにかくよく話し合うことだ。相談がまとまらなければ、ほかの女に授乳を委ねてもよかろう〟

（第六五章〈離婚〉第一〜六節）

と、アラーの配慮はあい変わらずこまやかである。離婚のさい女が妊娠していることもある。そのあたりの事情をよく考えてりっぱにふるまうことを勧めている。この神の啓示はけっして高邁《こうまい》ではなく、具体的であることが特徴だ。アラーの理念が、実際のリーダーである苦労人、マホメットの耳に具体的に聞こえた、という解釈もある。
マホメット以前のアラビアにはズィハールという習慣があって、これは夫が妻に対して「おまえはわが母の背中のようだ」と宣言することであり、そのこころは性的な魅力を持つものではない、ということ。つまり離婚の宣告なのだが、ズィハールの場合は、女は妻としての資格を失いながら夫の家を出ることを許されず、再婚もできない。ただこき使われ、虐待《ぎゃくたい》されるのが実際であったらしい。

これに対してコーランの第五八章〈抗弁する女〉では、

〝アラーは、夫について不平を申し立てる女の言葉を聞き入れたぞ。女がマホメットに訴え、話しあっているのを聞いたのだ。まことにアラーはよく聞いて、よく見通す神である。

あなたたちの中にはズィハールによって妻を遠ざける不心得者がいる。その女は、もちろん、その夫の母親であるはずもない。母親とは、あなたたちを生んだ女であり、ほかにはいないのだ。にもかかわらず「お袋の背中とおんなし」と言うのは不当であり、虚偽である。さあ、寛大なアラーのもとで改めよ。罪は許されるだろう。

ズィハールによっていったん妻を遠ざけたあと、それを撤回したいときには、二人が触れあう前に奴隷《どれい》を一人解放しなければいけない。これがあなたたちに課せられた訓戒だ。アラーは、あなたたちの行動をくまなく知っておるぞ。

もし解放する奴隷を持たないようなら、二人が触れあう前に二ヵ月間断食《だんじき》をせよ。それができなければ六十人の貧者に食事を与えよ。これはあなたたちにアラーとマホメットを敬わせるための計らいである。アラーの掟だ。信じない者には厳しい懲罰がくだるだろう〟

（第五八章〈抗弁する女〉第一〜四節）

とあって少しややこしいけれど、要はおかしな言いがかりをつけて女を中途半端《はんぱ》な状態、つまりズィハールにしておくのはよくない、ということ。アラーが困惑する女たちの申し出を聞き入れ、裁定を示している。ズィハールは次第に姿を消すようになった。

右の引用の背景は……一人の女〔ハウラ・ビント・サウラブという名前までわかっている〕がズィハールを受け、マホメットに苦情を訴えたのだろう、その会話をアラーが聞いて一般的な啓示をくだした、ということ。コーランがすべてアラーの言葉だという原理を信ずるとしても、マホメット自身の想念も渾然《こんぜん》一体となるケースもあったのではなかろうか。

いったんズィハールをしておきながら、

「やっぱり、仲よくしようぜ」

と、前言を取り消すとき、奴隷を解放したり斎戒をしたり施しをおこなったり……私なんか、申しわけなく思うなら相手の女に対してであり、こういう償いは、

――関係ないんじゃないの――

と考えたくなるけれど、それは素人《しろうと》のあさはか。大切なのはアラーである。ズィハールは悪習であり、それを取りやめて女とよりを戻すのは、それ自体は結構なことなのだ。結構ではあるけれど、いったん悪習を用いたことについては反省してほしい、軽々に考えてはいけない。それは神への冒瀆《ぼうとく》であり、それゆえにアラーの掟に従って、奴隷解放、斎戒、喜捨など標準的な贖罪《しょくざい》が課せられる、というロジックである。

因《ちな》みに言えばズィハールの語源は背中、とか。アラブの男性は女性の背中に……うしろ姿に魅力を覚えるのだろうか。

〈婦人〉の章とはべつに、女性問題について丁寧に述べているのは第二章〈雌牛〉である。とりわけ結婚に関して要点が綴《つづ》られている。

〝多神教の女とは、彼女が信者になるまで結婚してはいけない。たとえあなたが

どれほど気に入っていても、駄目なものは駄目。多神教の女より信仰を持つ奴隷のほうが勝っている。またあなたたちの娘を多神教の男に嫁がせてはならない。多神教の男より信仰を持つ奴隷のほうが勝っている。この掟を破った者には地獄の業火《ごうか》が待っているぞ。アラーはあなたたちの罪を許して楽園に導く寛大な神なのだ、そうであればこそ、ここであなたたちに反省をうながし、教えを明らかにするのだ。

マホメットよ、月経について質問を受けることがあるだろう。答えてやるがよい。「あれは一種の病である。だから病が癒《い》えるまで妻から遠ざかること。妻の体が清まったらアラーの命ずるまま赴いて親しむがよい。まことにアラーは掟に従って身を清める者を愛される」と。

妻はあなたたちの耕地である。欲するままに行って耕すがよい。とはいえ、そのときは、あなたた自身のため未来に役立つ善行を積め。アラーをおそれ敬うことだ。来世でアラーに会うことを忘れてはならない。このことをほかの信者たちにもよく伝えて、喜びとするがよいぞ〟

（第二章〈雌牛〉第二二一〜二二三節）

とあって、多神教の男女との結婚を戒めているが、信仰を持つ夫婦が交わり愛しあうのはアラーも祝福するよきことである。おおいに励むがよい。が、そんな喜びのときにも、

——これだけいい思いをするのだから——

と、未来において、つまり最後の審判においてプラスに加点されるような善行を一つやりなさい、という教えである。心情的にわからないでもない。

離婚その他のトラブルについても懇切な訓戒があって、

〝妻と縁を切ろうとする者は四カ月待たなければいけない。そのあいだに熟慮し、気持ちをひるがえすなら、それも結構、アラーは寛大に計らい、許してくれるだろう。

あるいは離婚の決心を強く固めるならば、それもまたアラーが聞きとどけ、寛大に計らってくれるだろう。

離婚された女は、そのまま三回の月経を待たなければいけない。もし彼女が最後の審判を信ずるならば、アラーが胎内に与えたものを隠したりしてはいけない。懐妊を知って夫が復縁を望むなら、この期間内に和解するのが上々だ。女は手厚

い待遇を受ける権利がある。男のほうが女より上位にあるけれど、こういうときには、女の立場をよく考えること。まことにアラーは全知にして恵みは果てしない。

離婚の申しわたしは二度まで。そのあとは不足のない待遇で同居させるか、親切にいたわって別れるか、である。彼女に与えたものは、なにひとつ取り戻してはいけない。とはいえ二人が、アラーの掟を守りえないと、おそれを抱く場合はべつである。女が結納金を夫に返してでも自由を得たいと思う場合は、それもよし、二人とも懲罰は受けない。これがアラーの掟である。背くまいぞ。なべてアラーの掟に背く者は不義のやからである。

正式に離婚してしまったら、女が他の男と結婚して次の思案をめぐらせるようになるまで復縁をほのめかしたりしてはいけない。次の夫が彼女と離婚して初めて復縁の可能性が生ずるわけである。この場合は、アラーの教えを守っていると思うなら、またよりを戻してもさしつかえない。これがアラーの掟、アラーが知恵ある者に説いて教えることである。(中略)

母親は乳児に二年間乳を与える。これが授乳をまっとうするための期間である。父親はその間の衣食の費用を正しく負担すること。とはいえだれも能力以上のことを強いられない。母親は子どものために不当なことを強いられず、父親もまた子どものために不当なことを強いられたりはしない。相続人などにより子どもの後見となった場合も同様である。以上の規定にもかかわらず父親と母親が話しあい、合意のうえで母親の授乳をやめるのは許される。乳母に乳児を託すとしても、母親に約束したものをきちんと支給するならば、父親に罪はない。アラーをおそれ敬え。あなたたちのおこないはすべてお見通しであるぞ。

夫と死別した妻は寡婦《かふ》として四カ月と十日を待たなければいけない。そのあとは自由に身を処してよい。アラーはあなたたちのおこなうことを熟知している。

この四カ月と十日を過ごしている女に対し、あなたたちのだれかが再婚をほのめかしたり、胸中でひそかに思いをかけたりすることは、べつに罪にはならない。アラーはあなたたちの秘密をよく知っている。だがこの件を正式に言い出さないうちに、彼女と秘密の約束を交わしてはならない。定められた期限がくるまで婚約をしてはならない。アラーはあなたたちが心に抱くことをよく知っているぞ。アラーを敬え。アラーが寛大にして慈悲深いことを忘れてはなるまいぞ。

このとき彼女の肌に触れず、結納金の額も決めないうちならば、そのまま別れても罪にはならないけれど、まあ、少しは金品を与えなさい。富める者はその分に応じ、貧しい者はほどほどに贈ってやるのがよろしい。これが正しいおこないというものだ。

まだ彼女に触れてはいないが、結納《ゆいのう》金の額を定めたのち離別するときは、その半額を贈るのがよい。ただ女のほうで辞退したり、仲介人が辞退を言うときは、それに従ってもかまわない。こういう辞退は敬虔《けいけん》な心の表われである。おたがいによしみを忘れないことだ。アラーはすべてを知っているぞ〟

（第二章〈雌牛〉第二二六〜二三〇節、第二三三〜二三七節）

ウンマ共同体の初期は思いのほか繁《しげ》く男女関係に揺れ動きがあって……つまり離婚を考えたり、思い直してみたり、あるいは離婚されそうな女性に密《ひそ》かに思いをかけてみたり、それに金銭の授受が絡《から》んで、さざ波が見え隠れしていたのではあるまいか。なにも知らずに結婚して、女が黒い衣裳《いしょう》アバヤを脱ぐのを見たとたん、

――えっ、そんな、ばかな――

と離婚を考えたくなるケースもあったのかもしれない。こんな想像をめぐらすこと自体、私が下衆《げす》な男である証左なのだろうが、アラーの下僕《しもべ》にもやっぱり下衆な男がいたにちがいない。

さて、視点を変えて……コーランはマホメットを始めとする使徒など特定な人を除くと、個人の名前を表わすのに控えめであるけれど、とりわけ女性の名前は見えにくい。が、その中にあって唯一《ゆいいつ》はっきりと記されているのがマルヤム、すなわち聖母マリアである。

コーランにはキリスト教やキリスト教徒についての記述はところどころに見られるけれど、新約聖書との直接の関わりは薄い。もちろんイーサー〔イエス〕の名は随所にあるが、次に多いのはイーサーの母マルヤムについての記述である。とりわけ第一九章に〈マルヤム〉が設けられ、マルヤムの受胎を明らかにし、イーサーの出自を語っている。このくだりは例によって新約聖書とおおむね一致している。

とはいえ、私たち日本人はかならずしも新約聖書につまびらかではない。マリアの受胎に先立つエピソードを一つ紹介しておこう。

マリアの親戚筋《しんせきすじ》にザカリアとエリサベトの夫婦がいて、この夫婦も長く子どもに恵まれなかった。ところが、ある日、ザカリアが祈っていると、天使が現われ、エリサベトが間もなく神の恵みにより男子を産むことが伝えられ、その子をヨハネと名づけるよう命じられる。同時にその子ヨハネが神の使令を受けていることも宣告される。

これが洗礼者のヨハネ、のちにヨルダン川のほとりでイエス・キリストに洗礼を与える聖人である。またザカリアは、このとき、神の印としてヨハネの生誕まで口がきけなくなった。

ザカリアの妻エリサベトも、有名なマリアの処女受胎のときに大切な役割を果している。マリアの前に天使が現われ、夫ヨセフに触れてもいないのに男子の誕生を宣告され、

――そんな不思議なこと、あるのかしら――

と思い悩んでいるとき、エリサベトは「心配しないでいいのよ。私にも、そんなことがあったの。神様にできないことはないわ」

と、聖霊によって身籠《みごも》ることを保証し、マリアの心を安らかに導いたのである。

コーランの第一九章〈マルヤム〉もこのエピソードをふまえて、

〝これはアラーがザカリーヤー［ザカリア］に恵みを垂れたときの記述である。

ザカリーヤーは密かにアラーに訴えて祈った。

「主よ。私の骨はもろくなり、髪は灰色になりました。けれど、私は信じます。主に祈って恵みの与えられないことが、けっしてない、と。

私は、私が死んだあとの一族に不安を抱いております。私の妻は妊娠に縁がありません。主の計らいで、どうか私に子どもを授けてください。私の跡を継ぎ、ヤアコーブ〔ヤコブ〕の血筋を継がせてください。主よ、その子をして神のしもべとさせてください」

アラーが答えて「ザカリーヤーよ、私はあなたに吉報を伝えよう。息子ヤヒヤー〔ヨハネ〕が誕生するぞ。ヤヒヤーは聖なる名前、私はいまだかつて、この名をだれにも授けなかった」

「主よ、私にどうして息子ができましょうか。妻は妊娠に縁のない体。加えて私はこの通り年老いました」

「その通りだ。が、私には容易なことだ。かつてなにもないところから、あなたを創《つく》ったではないか」

「主よ、私になにか印を与えてください」

「よし。あなたは五体健全でありながら三日間、口がきけなくなる。それが私からの印だ」

聖所を出たザカリーヤーは口がきけなくなり手まねで人々に「朝な夕な、主を称《たた》えなさい」と伝えた。

やがて息子が生まれ、その子に対してアラーは「ヤヒヤーよ、啓典の教えを守れよ」と命令をくだした。アラーは早くからヤヒヤーに英知を授け、慈愛を注ぎ、清純な心をはぐくんだ。ヤヒヤーは父母に孝を尽し、背くことがなかった。ヤヒヤーの生誕の日、死去の日、復活の日、彼の上に平安があるように。

また啓典の中でマルヤムのことも述べるがよい。マルヤムが家族を離れて聖殿の東に籠ったとき、幕を張って引き籠ると、アラーは天使ジブリールを遣わした。ジブリールは人間の姿でマルヤムの前に現われた。

マルヤムは驚いて「神よ、お助けください。あなたはだれ？　神をおそれるなら、どうぞ、近づかないでください」

「私はあなたの主から遣わされて来たのです。あなたが清純な男の子を産むと、それを伝えるために」

マルヤムが答えて「いまだかつてだれも私に触れておりません。どうして男の子が生まれましょうか」

「いいえ、あなたの主が告げました。アラーにとってはそれも容易なこと。その男の子は人間たちへの神兆であり、アラーの恵みとなる、と。すでにしてアラーが定めたことですから」

こうしてマルヤムは懐妊し、人目を避け、遠いところへ身を隠した〟

（第一九章〈マルヤム〉第二～二二節）

このあとマルヤムが分娩《ぶんべん》の苦痛の中で主の声を聞き、ナツメヤシの実で滋養をつけるところは新約聖書にはない。ナツメヤシはアラビア半島にふさわしい。そして無事に男の子イーサーを生む。そして、

〝マルヤムが男の子を抱いて家へ帰ると家族たちは「マルヤムよ、あなたは、なんと大変なことをやってくれたんだ。

あなたは、りっぱな血筋の娘なのよ。あなたのお父さんは人格者、お母さんは少しも淫《みだ》らな人ではなかったのに」

マルヤムは「この子に聞いてください」とばかりに揺り籃《かご》を指さした。みんなは「どうやって赤ちゃんと話をするの？」

ところが、男の子が口をきいて「私はアラーのしもべです。アラーが啓典を私

に授け、預言者とされました。
私がどこにいようとアラーの祝福がくだります。私は命がある限りアラーに祈りを捧《ささ》げ、人々に喜捨をするよう命じられました。
母に孝養を尽くすように、そして高慢な者とならないよう遣わされました。私の誕生の日、死去の日、復活の日、私の上に平安があるように」〃
（第一九章〈マルヤム〉第二七～三三節）

つまり、処女マルヤムが赤子を抱いて帰ると、みんなが驚き非難する。すると、さながら証《あか》しを立てるようにマルヤムに促されて赤子が口をきく。が、イエスが早々と口をきいたことも新約聖書にはない。

ザカリーヤー、ヤヒヤー、マルヤム、イーサー、と名前を挙げてコーランが強調しているのは、アラーが「有れ」と言えば、どんなことでも有るという宗教的真理、そして、イブラーヒーム以来の血筋をつなぐ優れた預言者がアラーの命令を受けてこの世にしばしば現われていたことである。

マルヤムがことさらに言及されるのはイーサーの母であるということのほかに、マホメットの時代にはすでにしてヨーロッパの各地で顕著になっていたマリア信仰の影響があってのことかもしれない。イエスに負けないくらいマリアを敬う傾向を反映しているのかもしれない。コーランはイーサーとともにマルヤムの名を挙げながら、

〝マルヤムの子イーサーは一人の使徒にすぎない。イーサーの前にも多くの使徒が遣わされ、死んでいった。イーサーの母もただ正直な女であったにすぎない。ものを食う普通の人間であった〟

（第五章〈食卓〉第七五節）

と、イーサーもマルヤムも二人とももものを食う普通の人間であり、あくまでも神性を否定している。神はアラーだけなのである。

# 8 救世者の称号

今日はクリスマス。キリストの誕生日だ」

「そりゃ、イスラム教徒にとっては〝まずい日〟だ」

と、またしても駄じゃれである。

まずい日、すなわちマスィーヒーはアラビア語でキリスト教徒のこと。これは救世者を意味するマスィーフから来ている。

そして、この救世者を意味するマスィーフはコーランの中でイーサー〔イエス〕を言うときにだけ用いられ、それゆえにマスィーヒーがキリスト教徒を指すようになった、という事情である。

が、それはともかく、マスィーフがイーサーにのみ用いられることについては、そこにこそコーランの世界観の一端が、キリスト教との関係が……アラーの考えが顕著に表われている、と言ってよい。

平たく言えば、アラーが一番偉いのである。アラーだけが神なのである。アラーは人々を正しく導くために、人類の誕生このかたしばしば使者を送り、啓典を授けて来た。使者の数は多いけれど、その中で特筆大書されるべき存在はヌーフ〔ノア〕、イブラーヒーム〔アブラハム〕、ムーサー〔モーセ〕、イーサー、そしてマホメットの五人。この五人のあいだでも偉さの評価には微妙なちがいがあり、まあ、ナンバー・ワンは最後の預言者にしてコーランの受け手でもあるマホメット、これは疑問の余地のないところ。イブラーヒーム、ムーサー、イーサーは横一線〔ヌーフは少し落ちるのかな〕と私は見るけれど、あえて言えばイーサーには特別に救世者マスィーフという称号を与えている点に、他の二人とはちがう特徴がある。

コーランの第五章〈食卓〉はこう述べてイーサーをことほいでいる。

〝アラーの言葉を思い出すがよいぞ。マルヤム〔マリア〕の子イーサーよ、アラーは、あなたとあなたの母親に特別な恩寵《おんちょう》を与えたのだ。アラーは神聖な息吹《いぶ》きによりあなたの能力を強化し、揺り籠《かご》の中で、さらには成人してからも人々に語りかけるようにしてやった。またアラーはあなたに啓典と英知と律法と福音とを伝え教えた。アラーの許しをえて、あなたは土で鳥の形を造り、息を吹き入れ、命ある鳥とした。アラーの許しをえて、盲人と癩《らい》病人を癒《いや》した。さらにアラーの許しをえて、死者を甦《よみがえ》らせた。あなたがイスラエルの人々に神の奇蹟《きせき》を示したとき、アラーは人々の反抗を抑えてあなたを守ってやった。信仰を持たない者たちが「ただの魔術だ」と言ってあなたを信じなかったときに。

あなたの弟子たちに「アラーとイーサーを信じなさい」と命じたのもアラーで

あり、弟子たちをして「信じます。どうか信仰の証人になってください」と答えさせたのもアラーであったことを忘れてはなるまいぞ。

またあなたの弟子たちが「マルヤムの子イーサーよ、アラーは私たちに天から食べ物をおろしてくださるでしょうか」と尋ねたとき、あなたは「信仰ある者たちよ、アラーをおそれて従いなさい」と答えた。

弟子たちはさらに「私たちはその食べ物を食べて安心したい。そうすれば、あなたが言っていることが真実なんだと納得できるし、証人となることもできます。どうかそうしてください」と言った。

すると、マルヤムの子イーサーは「神よ、どうか天から食べ物を下し、私たちへの機縁となし、神兆としてください。どうか食べ物を与えてください。アラーこそ私たちの養いの主です」と告げた。

アラーは「よし、その通り、願いのものをおろしてやろう。今後、あなたたちの中で信仰を持たない者があれば、これまでだれにも加えたことのない厳しい懲罰がくだることも忘れるなよ」と答えた〟

（第五章〈食卓〉第一一〇〜一一五節）

とあって、新約聖書のエピソードを髣髴《ほうふつ》させるところがあるけれど、これに続く第一一六節以降が悩ましい。

〝あるとき、アラーはこう問いかけた。「マルヤムの子イーサーよ、あなたは人々に『アラーのほかに、私と私の母を神として崇《あが》めなさい』と告げたことがあったか」と。するとイーサーは答えて「アラーに栄光あれ。そんなばかげたことを私が言うはずがありません。私が言ったのなら、その事実をアラーはとうにご存知のはず。私の心の中にあることもお見通しでしょう。私にはアラーの心がわかりませんけれど、アラーはなにもかもすべてを知っておられます。

私はアラーに命じられたこと、すなわち『アラーだけが私たちの神であり、ひたすらアラーに仕えなさい』という言葉のほかは、なにも言いません。私がこの世に留っているあいだは私が人々に正しい信仰を与える立場でした。しかし、私がアラーのもとへ行ってからは、アラーみずからが人々を監督することになるでしょう。アラーこそがいっさいの監督者。

人々を処罰するのも、アラーの考えひとつ、人々はアラーのしもべなのですから。赦《ゆる》しを与えるのもまた賢明なるアラーの考えひとつです」。これがイーサーの答であった。

アラーが告げて「誠実な人々には、その誠実さに報いられる日々がやってくる。彼等の下には川の流れる楽園があり、永遠にそこで暮らすこととなるだろう」。アラーは彼等を祝福し、彼等もまたアラーを祝福する。これこそ大願成就《じょうじゅ》というもの。

天も地も、いっさいがアラーの支配の中にある。アラーは全知全能、なんでもできるのだ〟

（第五章〈食卓〉第一一六〜一二〇節）

さりげなく書かれているけれど、この五節のやりとりには大問題が含まれている。ポイントは、イーサーがアラーから、

「あなたは、アラーのほかに自分と自分の母親が神様だ、なんて言いふらしてんじゃないのか？」

と疑いをかけられ、

「とんでもない。そんなこと言ってません。神様はアラーだけです」

と答えた、とするくだりである。

イエスがいろいろと奇蹟を現わしたことは新約聖書に記されているけれど、母マリアまでが神である、とは言っていない。イエスの立場は神の子であり、マリアは神の恩寵を受けた女でしかない。神と神の子と聖霊の三位一体がキリスト教の理念である。三位が一体となった一神教なのだ。イエスの神性は絶対である。

マリア信仰が現われ始めた七世紀という時期を考えると、マリアも神に見え、イーサーがヘンテコな台詞《せりふ》をほざいたのではないか、とアラビア半島で疑いをかけられることは現実問題としてあっても不思議はないけれど、全知全能のアラーがそう思ったとしたら……困ってしまう。

因《ちな》みに言えば第四章〈婦人〉には、

〝信仰を持たない人々は「おれたちは、マルヤムの子イーサーを殺したぞ」などと、たわごとをほざいている。こらしめてやるぞ。彼等がイーサーを殺したのではない。十字架にかけたのもうそっぱち、幻影を見ただけだ。この件については、まじめに考える人はみんな疑念を抱いている。愚かな人が、正確な知識もなく、ただ憶測をしてほざいているだけのこと。イーサーは彼等によって殺されたのではなく、アラーが呼び寄せたのだ。アラーは威力に満ち、聡明《そうめい》このうえない〟

（第四章〈婦人〉第一五六〜一五八節）

と記して磔刑《たっけい》によるイエスの死を否定し、また第九章〈悔悟〉では、

〝キリスト教徒はマスィーフ［イーサーのこと］をアラーの子であると言う。これは彼等が勝手なことをほざいているのであり、信仰のない者たちの言いぐさをまねているだけのこと。こういう連中にはアラーの祟《たた》りがくだる。なんとまあ、彼等は真実から遠い道をさまよっていることか〟

（第九章〈悔悟〉第三〇節）

と、断片的ながら神の子を明確に否定している。ほかにも類似の表現が散っている。コーランはいろいろな表現形式を採っているけれど……つまり既成の事実として語ったり、人々の噂《うわさ》として咎《とが》めたり、アラーの判断と採れる言葉で伝えたり、方法はばらついているけれど要点を整理して示すならば、イーサーについては卓越した救世者マスィーフの称号を与えて敬いながらも、神性を否定し、磔刑もなく、当然、復活もありえない。キリスト教的な立場から言えば、

「りっぱな名前をもらったけど、実質は骨抜きだよなあ、これは」

ということになるだろう。

しかし、イスラム教の立場としては、アラーの絶対的な唯一性《ゆいいっせい》を考えれば、これも当然の判断。マスィーフの名を与えて、ほんの少し特別待遇としたのは、すでにして七世紀、ヨーロッパにおけるキリスト教の威力を感知していたからではあるまいか。イーサーは有力な預言者たちの中で、もっともマホメットの時代に近い預言者であり、充分に充実した啓典〔旧約聖書をふまえたうえでの新約聖書〕の中心人物なのだから、特別な配慮があったのかもしれない。

話は少し変わるが、たったいま二六四ページで引用した〈食卓〉の最後に〝彼等の下には川の流れる楽園があり〟という一文がある。楽園の風景を描くとき、川の流れはしばしば強調されており、

――砂漠の民にとっては、水のあることがすばらしい生活条件なんだろうな――

と私たちは理解する。この理解はもちろん正鵠《せいこく》を射ていると思うけれど、一説によれば、この〝下には川の流れる〟は地底のこと、そしてそこに流れるのは石油である、という解釈がないでもない。アラーはあらかじめ、あのあたりの大地の底に豊かなる自然の恵みを用意し、イスラムの繁栄を予定していたのだ、という解釈だ。

現下の石油事情を……資源としての石油の価値を考え、それがイスラム教徒の国々に「すべてではないが」大きな富をもたらしている事情を考えれば、これが偉大な恵みであることは疑いない。

しかし、それがコーランに記されていたとするのは……〝彼等の下には川の流れる楽園があり〟とか、これに類似した記述とかで推測し断定するのは、いささか牽強付会《けんきょうふかい》ではあるまいか。アラブの国々を旅していると、ときおり、

「石油資源のことはコーランで予言されてますからね」

と聞くことがあるけれど、私は与《くみ》しない。せめて〝黒い川〟とか〝黒い〟のひとことがそえてあれば納得ができるのだが……。

ついでにもう一つ、第六一章〈戦列〉で、

〝マルヤムの子イーサーはこう告げている。「私はアラーの命を受けて、あなたたちに遣わされた使徒である。これまでに下されたアラーの掟《おきて》を確証し、さらに私のあとに来る使徒の名を告げ、喜びとしよう。その使徒の名はアハマドである」と〟

(第六一章〈戦列〉第六節)

このアハマドがマホメットと同義であり、それゆえに、コーランの中のこの数行をもって〃イーサーによりマホメットの到来が予言されていた〃とする根拠となっている。

イーサーはどこでこんな言辞を述べているのだろうか。新約聖書の〈ヨハネによる福音書〉で、イエスは弟子たちと問答をして〃自分が父なる神から出《いで》て、また神のもとに帰っていく〃身であることを説き、

〃「わたしは父にお願いしよう。父は別の弁護者を遣わして、永遠にあなたがたと一緒にいるようにしてくださる。この方は、真理の霊である」〃

（一四章・一六〜一七）

〃「わたしが父のもとからあなたがたに遣わそうとしている弁護者、すなわち、父のもとから出る真理の霊が来るとき、その方がわたしについて証《あか》しをなさるはずである。あなたがたも、初めからわたしと一緒にいたのだから、証しをするのである」〃

（一五章・二六〜二七）

〃「わたしが去って行くのは、あなたがたのためになる。わたしが去って行かなければ、弁護者はあなたがたのところに来ないからである。わたしが行けば、弁護者をあなたがたのところに送る。その方が来れば、罪について、義について、また、裁きについて、世の誤りを明らかにする。（中略）

言っておきたいことは、まだたくさんあるが、今、あなたがたには理解できない。しかし、その方、すなわち、真理の霊が来ると、あなたがたを導いて真理をことごとく悟らせる。その方は、自分から語るのではなく、聞いたことを語り、また、これから起こることをあなたがたに告げるからである。その方はわたしに栄光を与える。わたしのものを受けて、あなたがたに告げるからである。父が持っておられるものはすべて、わたしのものである。だから、わたしは、『その方がわたしのものを受けて、あなたがたに告げる』と言ったのである」〃

（一六章・七〜八、一二〜一五）

三カ所を引用して示したが、この中にある〃弁護者〃がマホメットである、というのが、コーラン側から見た定説だ。キリスト教徒はまたべつな見解を示すだろう。

この〝弁護者〟は新約聖書の源流となるギリシャ語版ではパラクレトス、あるいはペリクリトスであり、前者なら訴訟用語の弁護人、後者なら慰める人である。英語では comforter という訳を当てており、頭文字の c を大文字にすれば聖霊の意となる。

確かにマホメットは、イエスのあとに神から遣わされ〝罪について、義について、また、裁きについて、世の誤りを明らかに〟し、また〝自分から語るのではなく、［神から］聞いたことを語り、また、これから起こることを告げ〟たけれど、これだけでイエスがマホメットその人の来臨を予言した、とするのは普通のロジックとしては無理があるだろう。先に挙げた石油の埋蔵よりは妥当性があるけれど、これはやはり宗教的な、信仰上の解釈と見るのが適当だろう。

コーランは全体を通して旧約聖書との関わりがとても深いけれど、新約聖書はそれほど繁《しげ》く触れられていない。キリスト教との関わりについて、以上、イーサーを中心に略述した次第である。

ユダヤ人は一世紀の後半に、長年のすみかであったパレスチナ地方の祖国を追われ、世界の各地に散った。国を持たない民族……。こういう運命を背負った民族はたいてい行った先々で融合され、混血などもあってオリジナリティを失ってしまうのだろうが、ユダヤ人はおのれの神を信じて独自性を保ち続けた。ユダヤ人がふたたび自分たちの国を持ったのは、なんと！　一九四八年のこと、イスラエル共和国の成立であった。ざっと千九百年間、日本の歴史がすっぽり入ってしまうくらいの長きにわたって彼等は世界をさまよっていたわけである。

国家がなければ、自分で自分を守るよりほかにない。そのためにはお金が肝腎《かんじん》、まず経済力が必要となる。ユダヤ人はこの方面の能力を培《つちか》い、才能を発揮した。長い歴史の中でユダヤ人の金融パワーは歴然たる、あるいは隠然たる勢力として世界に実在している。

シェイクスピアが描く〈ヴェニスの商人〉の主人公、金貸しのシャイロックは、なによりも金銭を大切にする守銭奴《しゅせんど》であり、欲の権化《ごんげ》であった。中世における市井《しせい》のユダヤ人の一つの姿であったろう。

金貸し業は利子を取ることで成立する。これが大原則だ。そして貧富の差というものは、根源的にここから発生する。お金がお金を生むシステム。あればあるほど増えていく。この原則を社会制度が保護してくれるとなれば、ウヒヒヒ、こんなにいいことはない。

マホメットの周辺では貧富の差が顕著であったろう。ユダヤ人社会の富が「みんながみんな裕福であったわけではないだろうけれど」アラブの貧しい人々を圧迫する。その根底に金利を保証するシステムがあった。マホメットとしては「気に入らんなあ」だったろう。

――貧しい人を救うには、どうしたらよいか――

仕事を与えること、施しをおこなうこと、それも大切だが、根源的に金利というシステムが貧富の差を生んでいる。金貸し業で暴利を貪《むさぼ》る者はアラブ人の中にもいた。これをなくさなければ本当の救済とはなるまい。アラーは「理論的にはユダヤ人の神でもあるはずなのだが」マホメットに対して、

〝利子を貪る者は審判の日に悪魔に打たれ、ろくな立ちあがりかたもできない。彼等は「商売で利益をあげるのも利子を取るのとおんなしこと」とうそぶくが、それはちがう。アラーは商売は許すけれど、利子を取ることは禁じている。アラーの戒めを知って、いま利子を取ることを止《や》めるなら過去は許されよう。すべてはアラーの手の中にあること。非道をくり返す者は業火《ごうか》に投げ込まれ、永遠にその中で苦しむぞ。

審判の日アラーは利子の儲《もう》けなどあとかたもなく消してしまう。施しにこそたっぷりと利子をつけて返してくれる。アラーは罪深い者をけっして許さない。

(中略)

信仰を持つ者よ、本当の信者ならアラーをおそれ、滞っている利子の残額など帳消しにしてやれ。

帳消しにしないでいると、アラーとマホメットから戒めの戦いが宣告されると知れ。悔い改めるなら元金だけは残してやろう。あなたたちが人々を不当に扱わなければ、あなたたちが不当な目にあうことはない〃

(第二章〈雌牛〉第二七五〜二七九節)


利子を取ることについて絶対的な否定が示されている。が、資本を投入し、商売をやって利益をうるのは正当な商行為として認可されているのである。

——同じことじゃないの——

という気もするけれど、アラーは峻別《しゅんべつ》する。

現実問題として当時のマホメットの周辺ではユダヤ人が高利を貪って貧しいアラブ人を苦しめているという実情が顕著に見られ、それに打撃を与える必要があったのだ

ろうが、それとはべつに原理原則の問題として、

——お金がお金を生んでよいものか——

この疑問もあってしかるべきだろう。

アラーは鋭い。経済学の根本を見抜いていた。マルクスもびっくりするほど……。金貸しと商行為のちがいは、後者には労働が必要であり、リスクをともなう。

「金貸しだって働かなくちゃ駄目だよ。リスクなんか大ありだぜ」

という声もあろうが、金利を取ることが社会の厳然たる制度として認められたら、やっぱりボロイ。困窮者が溢《あふ》れ、利率に上限がなければ、ますますボロイ。ほとんどなにもしないで濡《ぬ》れ手で粟《あわ》。あっというまに貧富の差が生ずる。商行為にはもっと波があったしリスクも大きかったろう。

マホメットの時代から千数百年が過ぎ、現代では銀行金融なくしてまともな経済活動はむつかしい。銀行の経営が利子によって成り立っているのは自明である。でも、それはコーランと矛盾する。イスラムの民としては、さあ、なんとしよう？

ここ二、三百年のスパンでながめるとき、イスラムの社会でも、この点に関してコーランの掟が破られている現実は……なくもない。なくもないどころか充分に実在している。世界が資本主義を謳歌《おうか》しているとあれば、まことにやむをえない。全知全能

のアラーにちょっと頰かむりをしていただいて……せめて主犯は外国の銀行にお願いして、イスラム教徒はおすそ分けにあずかるくらいのところ……。

「むこうがそういうシステムになっているんだから仕方ないでしょ」

と、従犯くらいの立場を装《よそお》い、このあたりにエクスキューズを求めたりしている。

が、その一方で、コーランの掟を銀行金融において生かそうという試みも実行されており、アラブ社会では無利子銀行が次々に誕生している。これも現実だ。

「どうして無利子で銀行がやれるの？」

と疑うのは素人《しろうと》のあさはか。

預金者はお金を預けることにより銀行の共同経営者となり、経営に参加する、という形を採る。これならばビジネスであり、アラーも認める商行為である。銀行が貸し方になるときも同様で、これも融資をして相手企業の経営に参加する、という形になる。

――ふーん、よくわからないけど――

どこが一般の銀行とちがうかと言えば、利率を決めず、経営に失敗があれば利益があがらず、預けたお金や出資したお金が欠けることもある、ということ。共同経営なら当然だろう。

# 天に宝を積む

もちろん具体的な手続きは多様であり、

——どこがちがうのか——

差異が鮮明でないケースもあるようだが、とにかく理念としてはコーランの掟《おきて》を守ってお金がお金を生む弊害を軽減し、貧富の差を小さくしよう、と企てている。

確かにコーランには二十一世紀の社会にはそいにくい部分があって、これをどう考えるかは、まことに、まことに大問題……。だがコーランそのものを語ることを目的とする、このエッセイではこれ以上は触れずにおこう。

不労所得ではなく、頭を使い体を使い、リスクを背負い、働いて大儲けをするのは、いっこうにさしつかえない。そして、おおいに施しをするがよい。当然のことながら浪費はよくない。


〝近親者に当然与えるべきものを惜しんではならない。貧しい人や旅人にも惜しまずに与えるがよい。だが、浪費は禁物。

浪費をする人は悪魔の仲間だ。悪魔はアラーを裏切る者だ〟


（第一七章〈夜の旅〉第二六〜二七節）

と言い、また、

〝お金を使うときには、浪費をしないこと、けちにもならないこと、そのまん中を保つのがよろしい〟

（第二五章〈識別〉第六七節）

と勧めている。アラーは中庸を好む神でもある。

金銭問題を離れて日常生活の掟をうかがってみれば……まずはイスラム社会の慣習としてよく話題になる食べもののこと。

「イスラム圏て豚肉が駄目なんでしょ？」

「常識だろ。まじ厳しいらしいぞ」

豚肉そのものは言うに及ばず、ハム、ソーセージ、ラードなどの豚肉加工品もトンデモナイ、日本の調味料メーカーが製品の中に豚の消化酵素を用いているとわかって、その製品がシャット・アウトされたほど。絶対に駄目なのだ。

コーランでは、たとえば、

〝あなたたちが食べてはならないものは死獣の肉、流れる血、豚肉、アラー以外の邪神に捧《ささ》げられたもの。また絞め殺された動物、打ち殺された動物、墜落死した動物、角で突き殺された動物、野獣が食い残したものは禁ずるが、これらのものでもあなたたちが止《とど》めをさしたものならべつ扱いだ。邪神の石壇で屠《ほふ》られたものや、賭《か》けをやってえた肉もいけない。これはまことに罪深いことだ。（中略）なにを食べてよいか、マホメットよ、あなたに問う者がいたら教えてやれ。「ごく普通の、まともなものを食べればよいのだ。犬や鷹《たか》など、アラーが教えたやりかたで訓練した動物が捕らえてきたものは食べてもよろしい。かならずアラーの名を唱えて食べることだ。アラーをおそれよ。アラーはあなたたちのおこないのよしあしをすばやく判断して報いを示すぞ」と。

つまり、まともな食べ物はすべてあなたたちに許された、ということだ。ユダヤ教徒やキリスト教徒の食べ物も許されている。あなたたちの食べ物も彼等に許されている〟

（第五章〈食卓〉第三〜五節）

とあるのが、おおよその基準。流れる血と限定しているのは肉の中に染《し》み込んでいるものまでは問わない、という意味だろう。死んだ動物については、すでに山野で死んで転がっているもの、残虐《ざんぎゃく》な手段で殺されたものが禁じられ、アラーの勧めは……頸動脈《けいどうみゃく》を切って屠ること、これがルールである。またユダヤ教徒やキリスト教徒に許される食べ物の中にアラーが好まないものもあると思うのだが、このあたりは大ざっぱな言いかたがされているのだろう。邪神と関わりのあるものが許されないのは当然として、

――どうして豚はいけないのか――

これは、やっぱりわかりにくい。

気温の高いアラビア地方で脂肪分の多い豚肉は腐りやすく、また豚自体が不潔な生きものであり、衛生上の難点があったからだ、という説もあるけれど、本当の理由は、ただコーランが禁じているから、アラーが許さないから……理外の理とするのが正しいようだ。神の心は人間にはわからないもの。すなおに聞いて、おそれ従うことが肝要であり、それを思えば、この理外の理こそがコーランにもっともふさわしい、と言ってもよいだろう。

食べ物のすぐ隣にあるのが、飲酒の習慣。これについてはコーランは、

〃信仰を持つ者たちよ、酒と賭け矢、偶像と占い矢は、憎むべき悪魔の技である。近づいてはならない。そうすれば、きっと繁栄を見ることができるだろう。悪魔は酒と賭け矢を使って、あなたたちのあいだに敵意と憎しみを起こさせ、アラーへの礼拝をさまたげさせる。そうとわかっても、あなたたちは慎しまないでいるのか〃

（第五章〈食卓〉第九〇〜九一節）

賭け矢のことはあとで述べるとして飲酒は悪魔のわざとして禁じられている。とはいえ同じコーランの第二章〈雌牛〉では、

〃マホメットよ、人々は酒と賭け矢について、あなたに問うだろう。答えてやれ。「二つとも大きな罪であるが、ときには人間にとって多少の益がないでもない。だが、その罪は益より大きい」〃

（第二章〈雌牛〉第二一九節）

とあって、絶対の悪ではないようにも読み取れる。べつのところでは天国では酒が与えられるような記述も見られる。

飲酒については、とくに節度を失うような飲み方でなければユダヤ教もキリスト教も禁じていないし、アラーも当初はそれほど厳格ではなかったようだ。だが礼拝を怠り、敬虔《けいけん》さを失い、風俗を乱すことが多いのを見て、悪魔の誘いとしたのではなかろうか。

現在のイスラム圏では、酒の飲めない国、外国人が飲むぶんには許される国〈限られた場所で飲める〉、自由に飲める国、三つくらいに分かれているようだ。いずれにせよ酒と神とが密接に結びついている日本神道《しんとう》などとはまったく異なっている。

賭け矢というのは、身近にある矢を使ってくじを引くギャンブルだ。たとえば十人で駱駝《らくだ》一頭を入手して公平に肉を分配し、空くじを引いた者が対価を支払う、といったルール。マホメットに先立つ無法時代によくおこなわれていたが、これも酒と同じく風俗を乱す傾向が見られたので禁じられた。

同様にギャンブル一般もご法度《はっと》と考えるべきであり、事実そうであった時期や地域も多く見られるが、なにやかやと抜け道やエクスキューズを作っておこなわれているケースもまた多い。酒ほど厳しくはないけれど、一応は禁止事項であり、好ましくない風俗とされていることはまちがいない。

宗教と神話の関わりは深い。と言うよりほとんど同じもの……。宗教の理念をわかりやすくストーリー化したものが神話である。古い時代においては、そういう方法で宗教の一般化が計られていたのは事実だろう。

日本神話も神道と重なりあっている。天の岩戸やスサノオの大蛇《おろち》退治、オオクニヌシのエピソードもストーリー性に溢《あふ》れている。ギリシャ神話は、あまりにおもしろすぎて、

——あれ、宗教だったっけ——

と、本末転倒の印象さえ与えかねないけれど、古代のギリシャ人にとって、まちがいなく宗教であった。

旧約聖書をひもとけば、ノアの箱舟、モーセの脱出、ダビデとゴリアテの戦い、サムソンの怪力、大魚にのまれたヨナ、枚挙のいとまがないほど卓越したストーリーが含まれている。新約聖書もまたしかり、マリアの受胎、ヘロデ王の残虐、キリストの磔刑《たっけい》と復活、パウロの改悛《かいしゅん》と布教、これもストーリー性に富んでいる。

小説家である私は、この事実に強い興味を覚えている。むしろ宗教を離れて神話に

触れ、そこに民族の魂を実感する。寓意《ぐうい》に富んだストーリーを見ては、わけもなくうれしくなってしまうのだ。

私ばかりではあるまい。ほとんどの人が無意識のうちにも同じ体験を多かれ少なかれ持っているはずだ。また神話の中の多くのエピソードが……たとえば、いま挙げたものが、現代でも翻案物《パスティシュ》として繁《しげ》く小説に、戯曲に、ときにはストーリー性に富んだ劇画などに描かれている。宗教を離れ、人類のストーリーとして扱われているケースもけっして少なくない。

さて、コーラン。これが膨大な、内容豊かな宗教の書であることは論をまたない。ところが、たったいま述べた視点からながめてみると、ちょっともの足りない。そんな気がする。だから価値が薄い、というのではない。ただ私としては、かつてギリシャ神話に触れ、新・旧二つの聖書を読んだときと同じようにコーランにも、

――イスラムのストーリー性はどうかな――

と、当初は期待して読んだから、いささか当てが外れた、ということ。勝手に期待して、それが叶《かな》わなかっただけなのだから、文句のつけようもないけれど、これはコーランの特徴と言ってもよいだろう。

まったくの話、ストーリーらしいストーリーはコーラン全体を通して十あるか、二

十あるか。しみじみと、

——おもしろいお話だなあ——

と思うものは、さらに少ない。旧約聖書も新約聖書も、イスラムの論理では同じアラーから下された啓典のはずだが……ちょっと勝手がちがう。コーランのときになってアラーはストーリーへの興味が涸渇《こかつ》したのか、天翔《あまが》ける業を惜しんでいる。教訓を垂れるのに忙しく、おもしろく伝える気になれなかったのかもしれない。

もちろん皆無というわけではない。たとえば第一七章〈夜の旅〉。マホメットが、ある夜、天使に誘われメッカからエルサレムまで砂漠の上空を貫いて飛んでいく旅は、文字通り天翔けるイメージに溢れていて楽しい。星空はどれほど美しかったか。マホメットの目にエルサレムはどう映ったか。マホメットはさらに天界へ昇り、多くの預言者たちに会うのだが、ここにも多彩なストーリーを感ずることができる。一説によればマホメットの昇天とともに、足もとの岩が宙に浮き、途中から落ちて来て、それがいまエルサレムの岩のドームに鎮座している巨岩なんだとか。ほとんど〈日本昔ばなし〉ののりである。が、この夜間飛行については、すでにこのエッセイの第4話で述べた。ほかを捜そう。英雄伝説はないものか。奇っ怪なストーリーはないものか。

と、捜してみれば……ありました、ありました、たとえばスライマーン〔ソロモン」の話……。スライマーンはダーウード〔ダビデ〕王の王子であり、王位を継承し、古代イスラエルの基礎を作り繁栄をもたらした偉大なヒーローだ。旧約聖書に燦然《さんぜん》と輝く人物だが、コーランも伝えている。とりわけ第二七章〈蟻《あり》〉では三十節を費して述べている。

とはいえコーランの記述は、そのままでは少しかったるい。ストーリーとして楽しみにくい。なにほどか小説家の加工をそえて示しておこう。第一五節〜四四節の翻案である。

〝さて、アラーから広く、深い知識を授ったスライマーンは、

「私には鳥たちの言葉がわかる。あらたに鳥たちを軍勢に加えよう」

と宣言した。

かくてスライマーンの軍勢は、これまでの人間プラス精霊という陣営に加えて空からの力が備わった。いろいろな能力を集め、それをみごとに統制するのがアラーをいただくスライマーンの知恵である。

軍勢が蟻の谷に来たとき、蟻たちが、

「おい、みんな、穴に入れ。スライマーンの軍勢に踏み潰《つぶ》されるぞ」

と騒いでいる。この言葉もスライマーンには理解できる。

「あはは、蟻たちよ、心配するな。私はアラーの恵みを受けるもの。無用な殺生《せっしょう》はしない。さあ、一緒に神に感謝しよう」

戦闘のさなかにあっても弱い者に目を配る人であった。

軍勢の点呼をおこなうと、鳥たちの中にヤツガシラが見えない。ブッポウソウの仲間で、こいつには放浪癖がある。

「ヤツガシラはどこへ行った？　またさぼっているな。あとでこらしめてやる」

だが、そう長く待つこともなく、ヤツガシラが飛んで来て、

「ご注進、ご注進。ビッグ・ニュースですよ」

「なんだ？」

「エチオピアのサバアに、すごい女王がいます。よく繁栄してますけど、太陽なんか拝んでいるんですよ。悪魔がそそのかしていますね、あれは。アラーを忘れるなんて、とんでもない。どうしましょうか？」

「本当だな？　よし、手紙をわたすから、持って行って女王のところへ落とせ」

ヤツガシラがすばやく空を飛んで手紙を届けると、女王は長老たちを集め、

「どうしたらいいのかしら。アラーの名において服従しなさいって……。スライマーンが言ってよこしたわ」

「戦うだけの力はありますけど、戦さをすれば人々は苦しみ、国は荒廃します。贈り物をして懐柔するのが得策でしょう」

「そうするわ」

使節が遣わされ、りっぱな贈り物がスライマーンのもとに届いた。スライマーンは、それを見て、

「なんだ、これは？ 私の富はアラーの贈り物で充分。こんなもの、なんのたしにもならん。とっとと帰れ。逆らうと泣きを見るぞ」

と、使節を帰した。

それから配下の軍勢を見わたし、

「だれか私が実力行使をする前に、女王の玉座を奪って私のところへ持ってくる者はおらんか」

精霊の中の実力者が進み出て、

「はい、はい。あなたが席を立つ前に、それをここへお持ちしましょう」

また、もう一人、啓典の恵みを受けた者が、

「はい、はい。あなたがまばたきをするうちに、お持ちしましょう」

「ほう」

とスライマーンが頷《うなず》くより先に、女王の玉座が目の前に置かれた。この奇跡はアラーの恵み以外にありえない。それがわかるかどうか試されているのだ。スライマーンはたちどころに察してアラーに感謝をささげた。そのうえで、

「玉座の飾りを変えろ」

と命じ、玉座のデザインを変えさせた。

サバアの女王がやって来るや、スライマーンは、

「これは、あなたの玉座かな？」

と尋ねた。

「さあ、どうかしら」

様子が変わっているので判別ができない。すごい女王と崇《あが》められていても、アラーの恵みを受けない者は、この程度の知恵なのだ。宮殿に招かれた女王は、滑らかに輝く床を見て池かと思い、衣の裾《すそ》をあげて脚をあらわにした。衣を濡《ぬ》らさないためである。スライマーンは、

「あははは、鏡ですよ、これは。ガラス張りの宮殿です。見ぬけないとは、なさけない」

女王は恥入り、

「アラーの恵みをあなどっておりました。これからはあらたに服従し、アラーに帰依《きえ》いたします」

と頭《こうべ》を垂れた……〃

と、こんなストーリーが綴《つづ》られている。またスライマーンの最後については……第三四章にその名も〈サバア〉という章があり、この章では繁栄を極めた古都サバア〔シバ〕がアラーに叛《そむ》いたために滅び去ったことが記されている。そのこととは直接関係がないけれど、スライマーンはみずからの大宮殿を建設している最中に死を迎える。が、彼は杖《つえ》に寄りかかって立っていたから周囲の者は王の死に気づかず、宮殿建設の作業に励んだ。地虫が一匹、この杖を食らい、一年をかけて食い尽したときスライマーンが倒れ、人々は王の死を知った、とか。そのときには宮殿は完成しており、これもアラーの恵み、めでたしめでたしというわけ。ストーリー性を感じないでもない。

コーランの中でもっとも珍奇なストーリーは第一八章〈洞窟《どうくつ》〉で、七人の眠り男に触れているくだりだろうか。

各地に似たような話が散っているようだが、一番よく知られているのは、エフェソスの伝説。トルコの国イズミールに近い、この古跡の町に伝わる伝説であり、ゆかり

の洞窟は今でも観光名所となっていて、ガイドが、

「はい、ここです」

と案内してくれる。

ローマの支配下で、まだキリスト教が禁じられていたころ、敬虔《けいけん》な若者が七人、迫害を逃がれてエフェソスの洞窟に隠れたが、そのまま眠り込み、百数十年が過ぎ、目をさましたときにはキリスト教が許される時代になっていた、という伝説。コーランの記述（第一八章第九〜二六節）にそって、ストーリーを紹介しておこう。

〝あなたたちは洞窟に閉じ込められた若者たちと犬とに起きた不可思議をどう考えるのか。驚嘆すべきアラーの印と思わないのだろうか。

若者たちは洞窟に逃がれ「神よ、慈悲をください。正しい道へ導いてください」と祈った。

アラーは何年ものあいだ若者たちの聴覚を奪い、洞窟の中で眠らせた。

そのあとで呼び起こし、洞窟の中にいた者と、外にいた者と、どちらが眠っていた時間を正しく言い当てるか試してみた、とか。

マホメットよ、言っておくけれど、この若者たちは本当に唯一神《ゆいいっしん》を信ずる敬虔な心の持ち主であったが、アラーがさらによい導きを与えてやったのだ。

彼等は迫害を受けたとき、すっくと立ちあがって宣言したものだ。「私たちの神アラーは天と地の主である。私たちはアラーをさし置いてほかに祈ることはない。そんなことをしたら、うそ八百を並べるに等しい。この土地でも多くの人がアラー以外のものを自分の神として拝んでいる。あの人たちはどうして明白な証《あか》しもないのに、あんなものを拝んでいられるのか。アラーについていい加減なことを捏造《ねつぞう》する者ほどわるい者はいない」

これに答えて、ほかの若者が「まったくだ。私たちはあいつらと縁を切って洞窟へ逃がれよう。きっと神が慈悲を示してくださるぞ。私たちを安らかに過ごさせてくれるにちがいない」

長い眠りのあとアラーが目をさまさせてやり、問答をさせた。「おれたちは、どのくらい、ここにいたのかな？」「一日か一日に少し足りないくらいだろう」「それはアラーだけが知っていること。とにかくだれかが一人、お金を持って町へ行き、けがれのない食べ物を持つ人を見つけて、買ってくるんだ。礼儀正しくやれよ。見やぶられないようにな。おれたちの一人だとわかったら石打ちにされる。あるいは邪教に引き戻される。どっちかだ。どの道、いいことがない」

アラーはこの出来事を、後日、町の人々にも聞かせてやった。アラーの約束が真実であり最後の審判が疑いないことを教えるためにだ。人々は「若者たちの眠っていたところに建物を建てよう。なにもかもアラーの思召《おぼしめ》しだったんだから」。リーダー格の男が、さらに告げて「そこに礼拝堂を建てようじゃないか」

ところで、この若者たちの人数について「三人だな。あと犬が一匹」よく知りもしないのに推測で「五人だ。あとは犬」「いや、七人で、八番目が犬だ」。マホメットよ、言ってやるがよい。「アラーがよく知っている。彼等の真実を知る者はほんのわずかでしかない」と。このことについて本気で議論をしてもつまらない。軽く語りあって、だれの意見であれ、あんまり突きつめて考えないことだ。

言っておくけれど、若者たちが洞窟にいたのは、三百と九年だ。だから、マホメットよ、みんなに言ってやるがよい。「彼等がどれほど長く洞窟にいたか、アラーのみが知っている。天と地の秘密をすべて知っている神なのだ。すべてを見通し、すべてを聞く。アラーのほかに天と地を守るものはなく、アラーだけがものごとを決定するのだ」と……〟

となっていて、この奇談においてもストーリー性より訓戒のほうに力点が置かれている。どのくらい眠っていたか、議論をしても、だれも正しく言い当てられない。実は、この眠りは人間の死を意味する、とか。目ざめは復活であり、最後の審判にあうことである。信仰のあつい者にのみよいチャンスが与えられるが、それがいつであり、そのときまでどれほど眠っているのか、チャンスを与えられるのは何人か、どれもこれもみんなアラーの決定次第、という寓意《ぐうい》が含まれているらしい。

　そんな寓意もストーリーとともに語られたほうがわかりやすいし、おもしろいし、その方法は確実に〝ある〟と不肖小説家の私は思うけれど、それはアラーの好む方法ではないだろう。コーランの敬虔さをそこなうものなのだろう。暴言をお許しあれ。

# ❾ 君去りし後

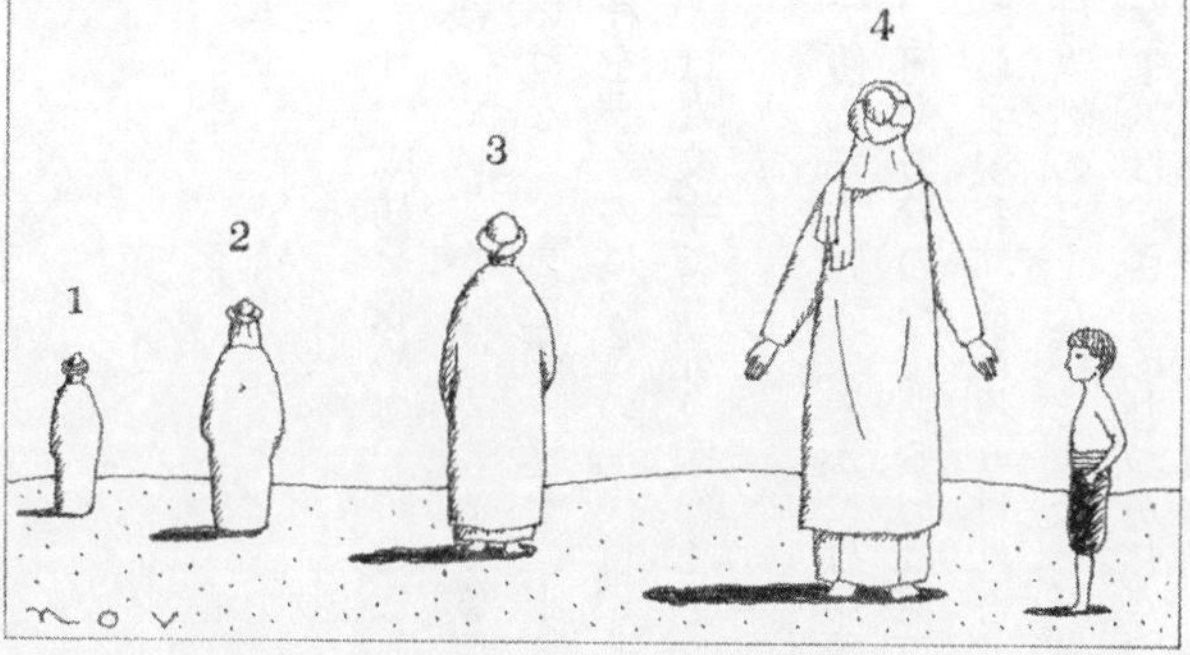

広く人口に膾炙《かいしゃ》した川柳では、

売り家と唐様《からよう》で書く三代目

とあざ笑っている。

一代目は勉励刻苦、努力に努力を重ね、才覚にも恵まれ、成功を収めて一家をなしたが、二代目は凡庸な人物、それでも一代目の威光が残っているから、なんとか繁栄を続けることができたけれど、三代目となると、もういけない。衰亡の一途をたどり自分の家まで手放さなければならなくなる。その案内札を書くのに、この三代目、遊芸の心得だけは身につけているものだから中国風のりっぱな文字で〝売り家〟としたためている、という風景である。

世間によくあることだ。優れた人物は「なにをもって優れた人物とするかには甲論乙駁《おつばく》があるとしても」この世の中に人口の何万分の一、何十万分の一、あるいは何百万分の一の確率でしか出現しない。現われることはかならず現われるだろうけれど、同じところに二度続けて優れた人物が現われるケースは当然のことながら少ない。確率的に言えば二乗分の一ということになる。三人続くケースは、さらにむつかしく、これは三乗分の一という計算になってしまう。偉大な事業が継続的に繁栄しうるかどうかは優れた人物の出現もさることながら、その業績がどう受け継がれていくか、後継者の力量が大きく問われることは論をまたない。

さて、ヒジュラ暦一一年、西暦六三二年の六月八日、偉大なるマホメットも死を迎えた。享年《きようねん》六十二と推定されている。一カ月ほど前から病床にあったが、この朝、礼拝の中庭に姿を現わし、信者たちを喜ばせた。そして愛妻アーイシャのもとへ戻って息を引きとる。最後の言葉は「天国からすばらしい仲間が〔迎えに来た〕……」と、まあ、月並であったらしい。

むしろ信者たちへ残した本当の意味での最後の言葉は、死に先立つこと二カ月あまり、後に別離の巡礼と呼ばれるメッカ行きで語ったくさぐさのほうだろう。コーラン第五章〈食卓〉の第三節には、

〝今日アラーは、あなたたちのために、あなたたちの宗教を完成し、あなたたちの前に神の恩恵を明らかにしてイスラムを唯一《ゆいいつ》のものとして選び与えたのである〟

とあって、これがアラーからマホメットにくだされた最後の啓示と目されている。マホメットはこれをふまえて最後の巡礼で説教をおこなったとか。マホメットは言葉を尽してアラーの絶対性を訴えた。その中では、アラーを敬愛する者だけが真に優れた者であり、肌の色が白いか黒いかによって人間の優劣が決まるものではないことにも言及されている。唯一神を敬愛することによって生ずる安寧、それこそが人々に訴えたい最後の言葉だったろう。

話は横道にそれるが、アラビア半島を訪ねたフランス人が、

「フランスの三色旗は自由、平等、博愛を表わしてます」

と告げたとき、イスラム教徒が、

「それはイスラムの思想です」

なるほど、元祖マホメットの行動には、民衆が信仰の中で自由に生き、平等を旨《むね》として、たがいにいつくしみあうことが示されている。

まったくの話、マホメットの功績は計り知れない。確固たる一神教を樹立し、イスラムの共同体ウンマを建設してアラビア半島に政治的な秩序をもたらした。砂漠の民に倫理観を植えつけることにもおおいに貢献した。貧民救済の情熱と成果は目を見張るべき実績だろう。アラーの召命に応《こた》えて尽力した後半生は、まことに、まことにエ

ネルギッシュで偉大なものであった。

　その偉大な存在が天に召されて、さあ、あとはなんとしよう。後継者の問題がまき起こるのは当然のこと……。

　結論を先に述べれば、さすがは信仰あついウンマ共同体。少なくとも〝唐様で書く三代目〟のような不様なことは起きなかった。歴史的には、四代続く正統カリフの登場とあいなる。カリフというのは本来は代理人の謂《い》であり、ここでは使徒マホメットの代理人のこと。広義にはイスラム社会の代表者の意味にも用いられるけれど、正統カリフと呼ばれるのは、マホメットの死後に連続してリーダーとなった四代四人に限定されている。正統な手続きを経てカリフとなった、と目されるからである。

　第一代はアブー・バクル（五七三ごろ〜六三四）で、カリフであったのは六三二年から六三四年の二年間、と短い。マホメットより三歳ほど年下で、言わばマホメットの弟分としてウンマの建設に尽力してきた。マホメットが最初の啓示を受けて間もないころ、いち早く入信した信徒であった。記念すべき六二二年には、マホメットと一緒にメッカを脱出し、洞窟《どうくつ》に隠れてチャンスを探り、ヒジュラ敢行の苦楽をともにしている。このくだりは、コーランにも、

〝たとえあなたたちがマホメットの身方とならず、ならず者たちがマホメットを追放したとしても、アラーはかならずマホメットを守るのだ。マホメットがただ一人の仲間アブー・バクルとともに洞窟に潜んでいたときのこと、マホメットはアブー・バクルにこう告げた。「心配するな。私たちにはアラーがついている」と。その通り。アラーは、あのときアブー・バクルにも神霊を示して安らぎを与え、見えない軍勢をつかわしてアブー・バクルの力を強めた〟

（第九章〈悔悟〉第四〇節）

とあって、アブー・バクルにも恩恵を与えたことが伝えられている。アラーの目から見ても彼はマホメットに準ずる人物であったからだろう。

このアブー・バクルの娘アーイシャはマホメットの妻となり、先にも触れたように最愛の伴侶《はんりょ》として預言者の最期《さいご》を見とっている。マホメットの妻と言えば、最初の妻ハディージャの印象が濃いけれど、ハディージャは六一九年、ヒジュラの三年前に没している。預言者のスタートに多大な影響をもたらした女性であったが、マホメットのもっとも輝かしい時代をともにした妻ということなら、アーイシャの名を挙げるべきだろう。

その父親アブー・バクルはマホメットの教友であると同時に勇敢な戦士でもあり、ウンマ建設の一里塚となったいくつもの戦闘で活躍して勝利を収めている。マホメットの健康が衰えてからは信徒を導く仕事の代行を務め、とりわけ六三一年のメッカ巡礼〔別離の巡礼の前の年〕ではマホメットに替って指揮を執るよう命じられている。これは、とりもなおさずマホメット自身が〝私のあとはアブー・バクルにウンマの運営を委《ゆだ》ねよう〟と、第一の候補に考えていたからではないのか。

その意味ではアブー・バクルが後継者に選ばれたのは当然の結果と言ってもよいけれど、やっぱりこのテーマは一筋縄ではいかない。なかなかむつかしい。全員一致でシャン、シャン、シャンというわけにはいかず、とくにアンサールたちは……メディナに移ってからの信者たちは古参の擁立に両手《もろて》を挙げるわけにいかなかった。さらにマホメットの愛娘《まなむすめ》ファーティマも、その夫のアリーも不満を抱いたらしいが、この件についてはもう少しあとで述べよう。

第一代目正統カリフ、アブー・バクルはマホメットなきあとの動揺をとりあえず無難に収め、周辺に巣くう敵対勢力とも戦ってウンマの結束を強くしたが、二年の治世ののちマホメットのあとを追うように天に召されていく。替って第二代の正統カリフはウマル・イブン・ハッターブ（五九二〜六四四）で、在位は六三四年から六四四年までの十年間。余計なことかもしれないが、ウマル・イブン・ハッタープだなんて、アラブ系の名前は耳慣れないせいもあって、どれもみんなどことなく似ているし、覚えにくい。せめて、この名前、字づらだけでも瞥見《べっけん》して、——そんな人がいたなあ——くらいの記憶には留めておいていただきたい。私としては、正統カリフ二代目と、肩書のほうを繁《しげ》く用いるよう心がけるつもりではいるけれど……。

二代目は一代目と手を握りあっていた。一代目の選出に当たっては、この二代目の推挙が力となっていたのである。キング・メーカーが次のキングになるのは歴史上よくあること。一代目は自分の死を目前にして、

「次はウマル・イブン・ハッタープをよろしく」

と、後継者を指名している。だから一応は禅譲ということになるだろう。お眼鏡《めがね》に適《かな》って有能な人物であった。十年のあいだに二代目は周辺の諸国を征服し、政治的には法制を充実させ、国庫を豊かなものとした。イスラム共同体の基盤をがっちり固めた功績は大きい。マホメットから数えれば三代目になるけれど、どうして、どうして、川柳とはちがっていた。もちろん、この権勢に反対する一派がいたことも事実である。手腕家であればこそ反対の炎も熱くなりやすい。

そして正統カリフ三代目。この人の名前もまたややこしくウスマーン・イブン・アッファーン（生年不明〜六五六）で、在位は六四四年から六五六年までの十二年間。マホメットの古くからの教友であり、二代目から指名を受け、互選によりカリフとなった。大ざっぱに言えば、正統カリフは第一代から第三代までは同じ派閥から、という観測もなり立つ。マホメットの娘二人を妻にしていることも三代目の略歴の特徴と言ってよいだろう。

因《ちな》みに言えばマホメットには、成人した子としては四人の娘ザイナブ、ルカイヤ、ウンム・クルスーム、ファーティマがいるだけだが、マホメットより長く生きたのは末娘のファーティマのみ。記憶に留めておくべき名前も、この娘だけだろう。三代目はルカイヤを娶《めと》り、ルカイヤの死後ウンム・クルスームを娶っている。マホメットと家族的な繋《つなが》りは密であったが、あまり評判のよいリーダーではなかった。

この人の功績は、コーランを編纂《へんさん》して一書となしたこと。マホメットがアラーから啓示され、口承によって伝えられ広められていたものを明文化したわけであり、ここにおいてコーランがイスラムの聖典として誕生する。たしかに、これは偉大な事業であった。

この三代目はメッカに拠点を持つウマイヤ家の出身で、このウマイヤ家も記憶に留めておいてほしい。もともと一代目このかた、反主流派の不満がくすぶっていたのだが、三代目がウマイヤ家の者をやたらに繁く重用し、加えてほかにも不手際《ふてぎわ》などがあって、ついに不満が爆発、反対派が決起して三代目を殺害した。最高指導者が配下の信徒たちによって殺されたのだから、これはただごとではない。内部にくすぶっていた反目がはっきりと姿を見せ始める。内部だけではなく外部でも、支配する領土の拡大にともない民族間や部族間の対立が激化していた。

混迷の時期に正統カリフ四代目に就いたのがアリー（生年不明〜六六一）で、在位は六五六年から六六一年の五年間だった。この名前はむしろ覚えやすい。マホメットの従弟《いとこ》であり、おそらく最初の妻ハディージャに次いで、つまり二番目に信者となったのが、この人だったろう。マホメットの信頼もことさらに厚く、共同体の建設に献身した一人であったことも疑いない。たったいま触れたマホメットの愛娘ファーティマの夫でもあり、夫婦ともども中枢部《ちゅうすうぶ》にあって一定の勢力を担《にな》っていた。マホメット自身、このアリーを自分の後継者と考えた時期もあったらしい。

だからアリーは第一代目が共同体のリーダーとなったときからリーダーの有力候補だったのである。第一代目から第三代目までが同系の禅譲であったことを思えば、アリーは二十余年のあいだ傍系に甘んじていたこととなる。が、その一方で一貫してア

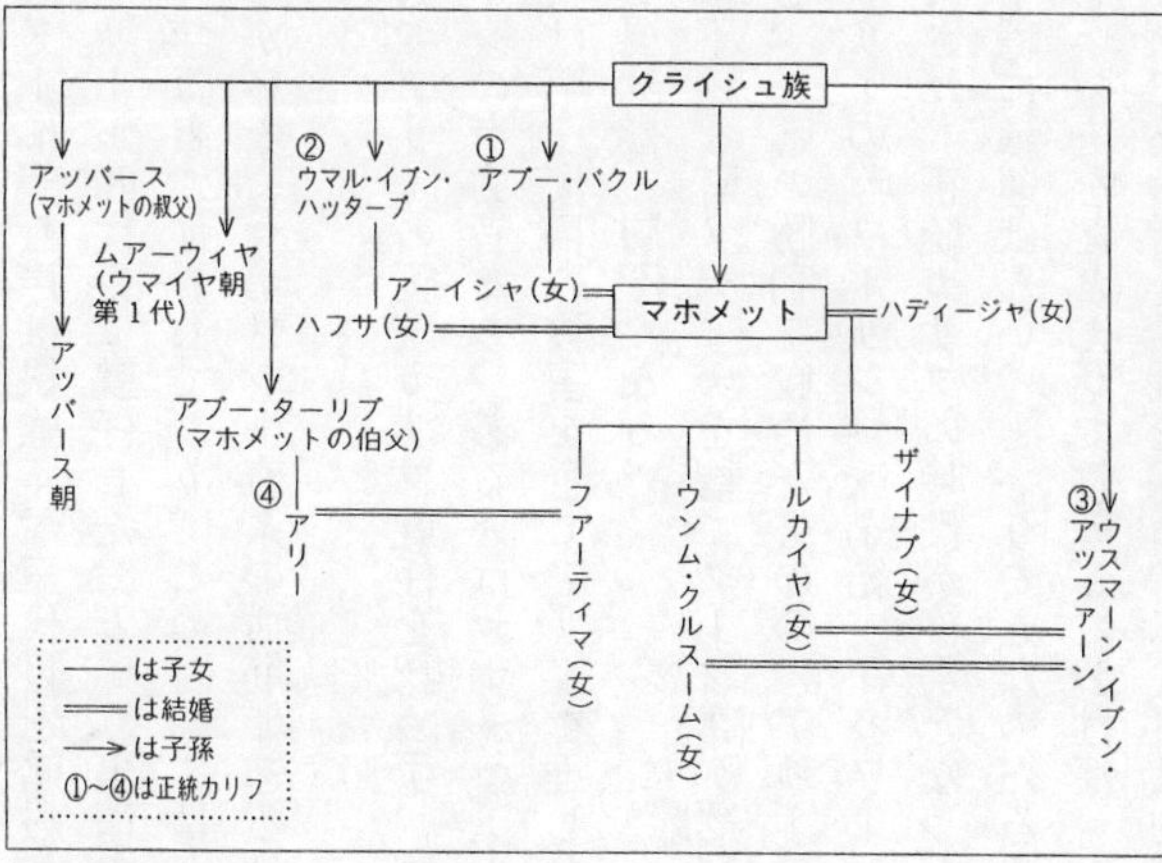


マホメットの姻戚関係と正統カリフ・関係図

リーをリーダーに望む声は根強く、三代目を暗殺したグループやほかの不満分子の推奨によりアリーが四代目に就任した、という事情であった。ファーティマはマホメットの死後一年ほどで他界しており、この時期にはいなかったが、二人の男子を残し、これはまちがいなくマホメット直系の血筋である。この事実もアリーの立場を強くしただろう。

が、一方でアリーの正統カリフ就任を認めず、反抗する人たちがいた。第三代と同じウマイヤ家の有力者たち、あるいはマホメットの愛妻アーイシャなど。それればかりかいったんは第三代目の殺害を企てアリーを推したグループからも反アリー派が生まれたりして混乱は一層深くなる。

アリーは不穏な町メディナを捨てクーファへ遷都《せんと》する。そして反対勢力を相手に戦さをおこし、一応の勝利を収めたものの、アリーの妥協的な戦後処理に納得しない人たちが反アリーのハワーリジュ派を結成。ハワーリジュ派の放った刺客の手によりアリーは暗殺され、正統カリフの時代が終焉《しゅうえん》となった。やはり偉大なリーダーのあとは、なかなか平穏には運ばない、ということなのだろうか。

ややこしい歴史をたとえ話で整理しておけば、マホメットの死後は一代目がショート・リリーフでなんとか治世を保ち、二代目は力強いピッチング、勝利投手にふさわ

世襲
nov.

しい活躍を示して途中退場、三代目はコーランを編むという、みごとなボールも投げたけれど、全体的にはあまりよいできとは言えず、乱闘のすえ命を失い、四代目は乱闘の雰囲気をそのまま残しているから波乱は必定、このピッチャーも殺され、ゲームは分裂、混乱のまま解散となってしまった、という感じである。

すでにしてイスラム圏はアラビア半島ばかりではなく、北はパレスチナからシリア、西のエジプト、東のペルシアへと勢力を伸ばしていた。

正統カリフに替って権勢を握ったのは、ウマイヤ家の系統で、ダマスカスを首都にして、ここにウマイヤ朝を起こした。その名の通り王を戴《いただ》く王朝であり、王がカリフを兼ね、その地位は世襲となった。マホメットの理念とは異なる専制君主の出現と変わったが、次々に有力な王が誕生したせいもあってイスラム圏の勢力はさらに増大し、世界史に冠たるサラセン帝国の形成へと発展していく。

ウマイヤ朝は前期と後期に分かれ、前期は年次的には六六一年から七五〇年までだが、この間に東はインダス川の右岸、北は中央アジアのサマルカンドのかなたへ、西は、なんと！　アフリカ大陸の北部を席巻《せっけん》し、ジブラルタル海峡を越えてスペインへ、ピレネー山脈の麓《ふもと》まで達し、随所にイスラム文化の影響を残した。版図の拡大はよく知られた事実であり、各地に残る往時の面影は今日でも観光客の目を楽しませている。

ウマイヤ朝は各地の征服にこそめざましい実績を示したが、多くの反乱に見舞われ、穏やかな繁栄とは評しえない側面を持っていた。

マホメットの叔父アッバースの玄孫《げんそん》が反乱を起こし、

「われこそがマホメットの血を継ぐ者」

とばかりに新政府を樹立、これがアッバース朝である。バグダードを首都とし、世襲のカリフを置いて七五〇年から一二五八年まで続いた。ウマイヤ家は西に逃がれ、これが七五六年から一〇三一年まで続いた後ウマイヤ朝である。

アッバース朝はイスラム文化の花を咲かせた時代であり、バグダードは東西交流の中心としておおいに栄えた。政治にも経済にも学術にもめざましい発展があった。

しかし、支配が広くなれば、あちこちで分裂が起きる。イスラム文化はアラビア、西アジア、ヨーロッパの東と西、アフリカの北部と、広大な地図を描いて浸透し、影響を及ぼし、多くの人々の信仰を集め、多くの人々の知るところとなったが、そのぶんだけ多くの反発も招いた。この後のイスラム史は千々に乱れて略述するのがむつかしい。エジプトではファーティマ朝が起き、アッバース朝の支配地にはセルジューク・トルコが侵入する。十字軍との戦いののちモンゴルの攻撃を受けて領土の多くを失うが、やがて同じくイスラム教を信奉するオスマン・トルコが擡頭《たいとう》し、インドではムガール帝国、北アフリカではエジプトを中心にいくつかのイスラム王朝が興亡を続けることとなる。

近世ヨーロッパ諸国の飛躍的な発展の中でイスラムは分裂したり、衰亡したり、植民地となったり、不遇をかこつことが多かったが、二十世紀に入って、それぞれの地域で、それぞれの歴史をたどって古い国家を再興させたり新しい国家を独立させたりして今日に到《いた》っている。現在イスラム系の国家はどれほどあるのか。イスラム諸国会議機構をながめてみると、加盟国は五七カ国（二〇〇三年現在・三二四頁《ページ》の表参照）で、その信徒の数は、ざっと一二億人。これ以外の地にも信徒が散っているから世界人口の五分の一、キリスト教徒に次ぐ一大勢力を擁している、というのが現状である。

話が政治的側面に傾き過ぎたようだ。イスラムは政治との関わりの深い宗教ではあるけれど、もう少しマホメットの教えに力点を移して考えてみよう。

イスラム教に関心の薄い人でもスンニー派、シーア派という言葉を小耳に挟んだことがあるだろう。イスラム教の二大宗派……。ほかにもいろいろ細かい分派があるけれど、この二つの宗派が際立っている。

スンニーは慣習《スンナ》から発している。語源の通りスンニー派はイスラムの慣習を守っていこうというニュアンスを含んでいるが、もともとは宗派と呼ぶほど強い、共通の主義主張を訴えるわけではなく、歴史の流れの中でいろいろな分派が散り去って行ったあとで、

「残った者同士でイスラムの伝統的な慣習を守って仲よくやっていこうや」

と、小異を捨てて大同についたグループと見て、当たらずとも遠からず。過激を好まず穏健を旨《むね》として最大公約数的な合意を求めた結果である。

昔はいざ知らず現代では、このスンニー派がイスラム教徒の九割を占めるというのだから、イスラム教徒と聞いて、

「なんだか怖いよな」

「過激なことをやりそうで」

と憶測するのは、統計的に大まちがい、ということになる。このあたりは二重丸をつけて留意しておくべきことだろう。

一方、シーア派はシーア・アリーから発している。上半分を採ったのか、全体を縮めたのか、とにかくシーアだけで党派の意、シーア・アリーはアリー党と訳してもよいわけだ。

そして、このアリーは正統カリフ四代目のアリーである。マホメットの愛娘《まなむすめ》ファーティマの夫であり、マホメットの血をまっすぐに継ぐ遺族の長《ちょう》である。

が、四代目アリーが、この党を結成したわけではなく、アリーの死後、マホメットの血筋の中にこそイスラムの首長《イマーム》を求めるべきだと考える一派がアリーの名を集団の総称に加えた「あるいは、加えて呼ばれた」という事情である。こちらはスンニー派とちがってイスラムの原理原則を問うことにおいて厳しい。四代目アリーの後裔《こうえい》たちは、正統カリフの一代目から三代目までをカリフとして認めず、マホメットの死後は四代目アリーをもって第一代とするところから始まった、と考える立場である。歴史的には一代目から三代目までがマホメットなきあとの共同体運営を従来の慣行の中で協調的に実行し、さらにそれがウマイヤ朝、アッバース朝に組み込まれて臨機応変、現実にそい協調的に、妥協的に、融通のきくものとなって行ったのに対し、

「ちょっと待ってくれ。本当のイスラムとはなんなんだ？」

と、激しく問いかけ、理想を求めたグループがシーア派である。現実主義的なスンニー派に対し、こちらは明らかに理想主義的な傾向を帯びている。ときには歴史の現実を否定し、破壊し、崇高な理想を標榜《ひょうぼう》する過激派となるケースも多い。

小異を捨てて大同につくスンニー派がまとまりやすいのは当然だが、一方、小異に

こだわるシーア派はそれ自体分裂しやすい。実際、いくつもの分派があって各地に散っている。分派の中では十二イマーム派……アリーを第一代の首長《イマーム》とし、その血筋を継ぐ第十二代までの首長を信奉する一派が、ひときわ大きい分派として存在している。マホメットの昇天は今から千三百年以上も昔のことなのに、死んだ直後の諸事情が現代の勢力地図にまで色濃く反映されているのは興味深い。

ここでまた大ざっぱなたとえ話を用いるならば……アラーの加護のもとマホメットという引力で固まったイスラム星が夜空に輝いていた。が、マホメットの引力が消えると分裂が起きる。中心部には伝統を守る親和力が働き、スンニー星が誕生する。分裂して散った部分は、シーア星と呼ばれたが、それ自体もまた分裂し、その中で一番大きいのが十二イマーム星、あとはイスマイル星、ザイド星など小さな星がいくつも散っている。もちろん本体から分かれたのもスンニー星とシーア星だけではなく、ここからもハワーリジュ星など分裂して怪しい光を発しているものもある。と、これが現在の大まかな版図である。同じイスラムでも、それぞれが思想的に、歴史的に、政治的に微妙なちがいを含んでいるから、馴染《なじ》みの薄い人には、

「イスラムって、いろいろ分派があってわかりにくいわね」

「教理のこまかいところがちがってんじゃないのか」

「内部紛争もあるみたいだし」

「政治的にも見えてくるものがずいぶんとちがうときがあるよな」

「おおもとはコーランなんでしょうけど」

「うん」

イスラムに限らず、なべて宗教は細部にまで立ち入れば、どこがどうちがうのか、どうしてそんなことにこだわるのか、なぜそれが大切なことなのか、門外漢にはわかりにくいところがあるものだが、いま掲げた大まかな〔かなり杜撰《ずさん》な〕勢力地図で輪郭を捕らえておいていただきたい。

「じゃあ、イスラム原理主義って、なんなの？　このごろよく聞くじゃない」

「うん？」

原理主義という以上、原理原則に固執するにちがいない。原理原則に固執するのはシーア派だ。だからイスラム原理主義はシーア派の系統かな……と、三段論法で推測したくなってしまうけれど、一概にそうとは言えない。

シーア派にイスラム原理主義を主張する人がいるのはわかりやすいが、スンニー派にもいる。イスラム原理主義は、いま鳥瞰《ちようかん》した分類とはまたべつな視点から言われているものなのだ。

どんな宗教でも、歴史の古いものならば、かならず原理主義的な運動が惹起《じやつき》する。宗教が社会に根をおろし、政治とからみながら民衆の生活に浸透していけば、必然的にスタート時の姿から変化を余儀なくされ、次第に本来のありかたとはずれた部分を含むようになる。それが許容の限度を越えたとき、

「当初の原理原則に帰ろう」

と、反省のゆさぶりが生ずる。この運動はそれまでのリーダーたちの思想や信者たちの信仰とあいいれないケースも繁《しげ》くあって、大きな争い、小さな争いとなってくり返される。

イスラム原理主義も、こういう視点に立って見れば〝イスラムの原理、すなわち初期のウンマ共同体の理念に返って社会や国家を運営していこう〟という主張であり、主唱者がそれを鮮明にすれば、いつでも、どこでもイスラム原理主義と評してまちがいとはならない。事実、歴史の中にはこれに類する定義が散在している。

しかし、今日、ことさらにこの言葉が使われるときは、明らかに政治色を帯びた、急進的な傾向を指している。

欧米の近代文明「その中には植民地主義とその残滓《ざんし》も含まれている」の影響の中で、

民主主義を知り、男女平等をながめ、資本主義の魅力にも引かれ、二十世紀以降のイスラム国家は社会的に否応《いやおう》なしに変貌《へんぼう》をとげてきた。もちろん思想や信仰にも顕在的な、あるいは潜在的な変化が生じた。イスラム世界の解体さえ公言されかねない。各分派の信条のちがいに加えて石油資源が生む利権などもからみ、国家規模の争いが生じ、戦争も起きた。その背後に依然としてアメリカを中心とする非イスラム世界の干渉が見え隠れし、下手をすれば生活の基盤である信仰をおびやかされ欧米的な合理主義に犯されてイスラムのアイデンティティを失いかねない。そこでイスラムの原理原則に立ち返り、内に向かっては本来の教義を厳しく遵守《じゅんしゅ》し、外に向かっては徹底的に抗戦して、身にかかる火の粉を振り払わなければならなくなった。そう信ずる人が顕著な行動を表わすようになった。

イスラム原理主義は、理屈としては穏健であっても純粋に宗教的であっても、いっこうにかまわないはずだが［事実そういう動きも実在しているが］狭義《きょうぎ》には革命的手段、あるいは非合法的手段を講じてでもみずからの主張を明らかにし、権力の奪取を画策するグループを指すことが多く、ときにはただ現状に反抗するだけのイスラム教徒にも用いられて、

「イスラム原理主義って、怖いじゃない？」

「革命でも起こす気じゃないのか」

と、語られたりするわけである。

私見を述べれば、イスラム世界はあまりにも大きくなってしまった。一つのウンマ共同体を形成するには大きすぎる。中にいくつもの国家が含まれ、それぞれの国家は政体政情が異なり、経済レベルもちがい、利害関係も共通とは言えない。原理原則に返ると言っても、だれを首長にすればよいのか、男女平等はどう考えるのか、異教徒とどうつきあっていくのか、資本主義経済の効率とどう拮抗《きっこう》していくのか、発展途上国の遅れをどう取り戻すのか……。原理原則に返っても、そのうえにいくつものアイデアを加えて発展させなければなるまい。そこにまたいくつもの異論が生ずるだろう。もう一人のマホメットが現われ、アラーの新しい啓示が下り……と、妄想をたくましくしたくなってしまうのだが、こんな想像自体が原理原則を外れているだろう。

これまでにくり返して述べてきたことだが、コーランはアラーがマホメットに下した啓示の記録である。そこに七世紀アラビア半島のパラダイムが作用し、マホメットがどう啓示を聞いたか、という含みがあるとしてもコーランは神の言葉そのものなのである。〔そして信ずるかどうかはともかく〕マホメット自身の言葉はいっさい含まれていない、とされている。

が、神の言葉だけでは具体性を欠くことも多かろう。さまざまな現実に対してどう対処したらよいか、コーランだけでは困惑するケースも生ずる。そこでリーダーであるマホメット自身の示唆《しさ》が必要となり、それを集めたものが、コーランを補う聖典ハディースである。このエッセイの第3話でも触れておいたが、もう少しくわしく述べると、これはコーランに倍する分量で、内容も相当に繁雑だ。目次の一端を示せば

〔中公文庫ハディースⅠより〕

〝啓示が神の使徒に下されたことの次第、信仰の書、知識の書、浄《きよ》めの書、洗滌《せんじょう》の書、月経の書、砂による浄めの書、礼拝の書、礼拝の時刻、アザーン、金曜日の書、危急の際の礼拝、二大祭の書、奇数回のラクア、雨乞《あまご》いの祈り、日蝕《にっしょく》、コーラン朗誦《ろうしょう》中の跪拝《きはい》、礼拝の短縮、夜の礼拝、メッカとメディナのモスクにおける礼拝の功徳《くどく》、礼拝中してもよい行為、礼拝の際の不注意〟

と、一部分だけでも相当に細かい事項について示唆している。

べつな視点から見れば、ハディースにはマホメットが〝言った〟ことばかりではな

く〝おこなった〟こと、〝認めた〟こと、さらにはマホメットの人となりから〝おのずと見えてくる〟ことも含まれ、これに加えて、以上のことを〝……とAさんが聞いてBさんに伝えCさんが記録した〟という伝承も収められている。AさんBさんCさんは、共同体の中において、しかるべき立場の人であることは確かでも、こういう伝承の連鎖が介在すると、マホメットの示唆とは少しずつ異なったものになりかねない。分派的な解釈も生ずる。もちろん、どこまでを正統とするか、この点について充分な研究がほどこされているが、この研究がまたいろいろな解釈を生む。教義のちがいもここから生じたりするだろう。充分にややこしい。

シャリーアという規範もあって、これは〝水場へ行く道〟の意であった。コーランでは、

〝アラーは人々に神の摂理について明白な証《あか》しを与えた。ところが、その知識が人々のあいだに行きわたると、勝手に解釈し、異論を唱え、争いあった。このことについてはいずれ復活の日に厳しく裁かれるだろう。こんなことがあったのでアラーはマホメットを呼んで彼をシャリーアに連れて行って告げた。マホメットよ、あなたはシャリーアに従って行き、まちがった知

識の者たちの邪道を行ってはならない、と〟
（第四五章〈跪《ひざまず》く時〉第一七〜一八節）

とあってシャリーアは正しい道と訳されることが多いけれど、この数行からも、コーランにさまざまな解釈があるとき、本当の水場［正しい恵み］に至るのがシャリーアであることがうかがい知れる。つまり教義について、いろいろな解釈があるとき、イスラムの法学者が下した権威ある解釈がシャリーアである。一般的にイスラム法を指す言葉として用いられている。

スンナが慣習の意であることはすでに述べたが、ハディースの中に記された慣行のうち、法的な典拠として確認されたものをスンナとして遵守している。

また、もう一つ、イジュマーは合意であり、共同体の合意として法的な規制を持つもののことだ。それぞれの分派の首長《イマーム》が示した言行がイジュマーとなり、規範として強い意味を持つケースもある。

かくてコーランも膨大、ハディースも膨大、その周辺に、その延長線上に、いろいろな規範が生じ、解釈が生まれ、相互に矛盾がないわけではないが、こうした大きなうねりの中で、結局〝コーランがどう示しているのか〟と問われ続けるのが偉大な聖典の、偉大であることの理由なのだろう。ここではシャリーア、スンナ、イジュマーなどの用語について軽く触れておくに留めておこう。

# イスラム諸国会議機構（ＯＩＣ）加盟国一覧

| | | | |
|---|---|---|---|
| アジア | アゼルバイジャン | アフガニスタン | アラブ首長国連邦 |
| | イエメン | イラク | イラン |
| | インドネシア | ウズベキスタン | オマーン |
| | カザフスタン | カタール | キルギス |
| | クウェート | サウジアラビア | シリア |
| | タジキスタン | トルクメニスタン | トルコ |
| | バーレーン | パキスタン | パレスチナ |
| | バングラデシュ | ブルネイ | マレーシア |
| | モルディブ | ヨルダン | レバノン |
| アフリカ | アルジェリア | ウガンダ | エジプト |
| | ガボン | カメルーン | ガンビア |
| | ギニア | ギニアビサウ | コートジボワール |
| | コモロ | シエラレオネ | ジブチ |
| | スーダン | セネガル | ソマリア |
| | チャド | チュニジア | トーゴ |
| | ナイジェリア | ニジェール | ブルキナファソ |
| | ベナン | マリ | モーリタニア |
| | モザンビーク | モロッコ | リビア |
| その他 | アルバニア | ガイアナ | スリナム |

# イスラム関係大小いろいろ大ざっぱ年表

| 年期 | 事項 |
|---|---|
| 大むかし | アーダム（アダム）とハウワー（イブ）の出現。 |
| B.C.2000 | イブラーヒーム（アブラハム）の召命。 |
| 1300頃 | ムーサー（モーセ）の出エジプト。 |
| 1000頃 | ダーウード（ダビデ）が王位に。 |
| 970頃 | スライマーン（ソロモン）が王位に。 |
| A.D.0 | イーサー（イエス）誕生。 |
| 70頃 | ユダヤ王国の消滅。ユダヤ人が世界に散る。 |
| 395 | ローマ帝国の東西分裂（西は476年まで。東は1453年まで）。 |
| 570 | マホメット誕生。 |
| 622 | ヒジュラ。 |
| 632 | マホメット没。アブー・バクルが第1代正統カリフに。 |

| | |
|---|---|
| ６３４ | ウマル・イブン・ハッターブが第２代正統カリフに。 |
| ６４４ | ウスマーン・イブン・アッファーンが第３代正統カリフに。 |
| ６５６ | アリーが第４代正統カリフに。 |
| ６６１ | ウマイヤ朝が始まる（前期は７５０年まで。後期は７５６〜１０３１年）。 |
| ７５０ | アッバース朝が始まる（１２５８年まで）。 |
| ９０９ | ファーティマ朝が始まる（１１７１年まで）。 |
| １０５５ | セルジューク朝（トルコ）が始まる（１１５７年まで）。 |
| １０９６ | 十字軍の遠征が始まる（１２９１年まで）。 |
| １２９９ | オスマン朝（トルコ）が始まる（１９２２年まで）。 |
| １５１７ | オスマン・トルコの王がカリフを名乗る。 |
| １５２６ | ムガール朝が始まる（１８５８年まで）。 |
| １９４８ | イスラエル共和国が成立。中東戦争が始まる。 |
| １９６９ | イスラム諸国会議機構が発足。 |
| １９８０ | イラン・イラク戦争が始まる（１９８８年まで）。 |
| １９９０ | イラクがクウェートに侵攻。 |
| １９９１ | 湾岸戦争が始まり、終わる。 |
| ２００３ | イラク問題が国際的に紛糾。アメリカ・イギリスが、イラクに侵攻。 |

# ❿ 聖典の故里《ふるさと》を訪ねて

二〇〇三年の三月、渋谷区大山町の東京ジャーミイ・トルコ文化センターで「イスラムとは何か」という催しが開かれた。ジャーミイはトルコ語でモスクのこと。小田急線代々木上原駅近くの、よく車の渋滞する道路の脇《わき》に、まる屋根とミナレット〔尖《せん》塔《とう》〕を持つ白亜の雄姿を望み見た人も多いことだろう。

この催しの主催者は日本クリスチャンアカデミー、つまりキリスト教徒の団体である。仏教国日本のイスラム教寺院でキリスト教徒の主催による会合が開かれたのは、なんだか三題噺《さんだいばなし》ふうの趣きさえあって興味深い。もちろんこれは9・11、ニューヨーク爆破テロ事件などをふまえ、不穏な世界情勢に対して人心の融和を計ろうというもの。三月十七日付の朝日新聞・夕刊は催しの成功を伝え、ジャーミイの副代表が、

「テロリズムとイスラムを一緒にしないでほしい。コーランは命を何よりも大切と教えている」

と、コーランの根元を訴えたことを報じている。副代表はバーミヤンの仏像破壊についても、

「本当に宗教に熱心な人たちが行ったことなのかどうかよく判断してほしい。あそこは一三五〇年にわたってイスラムと他教徒とが共存していた」

と、異教徒同士の協調を述べていた、とか。二十一世紀の課題が集約されている会

合であった。

宗教というものが、本来的に異教徒に対して閉鎖的であるのは、その属性から考えて仕方のないことなのかもしれない。少なくとも歴史的にはほとんどの宗教がそうであった。

しかし二十一世紀はそうばかり言っていられない。依然として厄介な対立が各地に実在しているけれど、その一方で融和と共生の試みも顕在化している。

東京ジャーミイに集まった三大宗教についてあらためてここで述べれば、キリスト教徒が世界人口の三三パーセント、イスラム教徒が二〇パーセント、仏教徒が六パーセント（ほかにヒンズー教徒の一三パーセントが多い）を占めている。この分布図では一つが他を併合することなど絶対にありえない。理解し、妥協し、折りあっていくよりほかにないのである。

さて、二〇〇二年の春、私は縁あって不思議の国サウジアラビアを訪ねた。イスラム圏の中でもっともイスラム的とも評され、閉鎖性も濃い。いや、現実には豊富な石油資源を持つ国としてアメリカ合衆国との関係はことさらに深く、日本との貿易も盛んである。

「俺、三年ほどサウジアラビアに駐在していた」

なんて、身近に語る商社マンもいる。かならずしも閉鎖的とは言えない側面もあるのだが、なにしろ、この国は観光客をまるで受け入れていないのだ。イスラムの聖地メッカ、メディナのある国だからイスラム教徒の巡礼は大歓迎、おおいに受け入れているけれど……。

たとえばヒジュラ暦の十二月が近づくと世界の各地からイスラム教徒がさながら雲《うん》霞《か》のごとく聖地へ押し寄せて来て、その数は百万人を超えるとか。カアバ神殿を囲んで渦巻く凄絶《せいぜつ》な風景は写真などで一度や二度見たことがあるだろう。

――これが人間の群か――

と疑うほどの凄《すさま》じさである。だが、ここに異教徒が入ることは許されない。

つまり外交関係、ビジネス関係の入国、これは石油資源をてこに躍進している国家だから寛大である。外交官、商社マン、技術者などは当然受け入れられる。

でも、それ以外はだめ。つまり、あなたや私が、

「サウジアラビアって国、おもしろそうだからちょっと行ってみるかな」

もの見遊山《みゆさん》の気分で訪ねるのはむつかしいのである。ＪＴＢを初めほとんどの旅行会社が消極的であった。

ところが、ここに来て、この国も石油資源以外に観光業などにも少し関心を抱き始めたらしい。エジプトやトルコなど近隣のイスラム国家ではこの方面のビジネスで少なからず収益をあげ国庫を潤《うるお》している。とりあえず「と私は想像するのだが」

――さぐりを入れてみよう――

と考えたが、やっぱりユダヤ教やキリスト教と関わりの深い国はこの国の庶民感情として都合がわるく、トラブルが起きそうだ。やめておこう。

すると、現下の世界情勢の中でユダヤ教やキリスト教と関わりが薄く、だが、そこそこに裕福で、観光客を送り出しそうな国となると、ほとんど一カ国、われらが日本国くらいしかないだろう。

かくて日本の旅行業者が絡《から》み、サウジアラビア航空の直行便が関西空港からときたま飛び立つようになった、という経緯である。にわかに計画されたツアーに「はい、はい、はい」と私が参加したわけだ。

数十人でチャーター便に乗り込んだが、まったくの話、まだ観光ビザも用意されていなかった。サウジアラビア政府からこの団体ツアーに対して特別な観光許可が与えられた、という事情だった。訪問にはいろいろな制限がある。もともとこの国はすべてのアルコール類が厳禁。旅行者も例外ではない。サウジアラビア航空に乗るのだから機内でも酒の楽しみがまったくない。酒がだめだからみりんもだめ。みりんを混ぜた醬油《しょうゆ》もだめ。その醬油を使ったせんべいなどの菓子類もだめ。

イスラム圏で豚肉がいけないことはすでにこのエッセイで述べたが、どんなに少量でも豚を原料とする成分を含む食物はすべて、細かくチェックして禁じられている。

もっと戸惑うのは女性の服装。外国人であっても全身を黒く包まなければいけない。飛行機を降りるときに喉《のど》から足首までの黒いローブ、アバヤが与えられ、頭も黒いスカーフで包む。髪を見せてはいけない。さながら黒いオバQである。

——難儀なこっちゃなあ——

しかし同行の女性たちはそれなりにおもしろがっている気配がなくもなかった。

まずこの国の首都リヤドへ入る。飛行時間は十一時間ほど。時差は六時間。結構遠いけれど、そしてサッカー・ファンは充分にご承知だろうけれど、この国はアジア地区、ヨーロッパではない。

イタリア半島が長靴の形をしていることはだれもが知っているが、アラビア半島も靴の形。前者がファッションの本場らしく細いブーツをかたどっているのに対し、後者はざっくりと履く深くて太い靴である。西アジアの南からインド方面に向けて短い靴先を蹴出《けりだ》している。その東寄りの砂漠の中に、古くから広大なオアシスが広がり、

いつしか町ができ、発展し、今では、

「ほほう」

目も眩《くら》むような現代都市リヤドが建設されている。建ち並ぶ高層ビル。なにしろ土地が余っているから、やたら上に高く積みあげてはいないけれど、巨大なビルが広大な地域に次々と点在しているのは本当だ。

この半島は、人間が住んでいたということなら充分に古い歴史を持っているが、そしてマホメットの登場以後ははっきりと歴史舞台の一部を占めて、その存在を明らかにしてきたが、サウジアラビアという国家そのものは、すこぶる新しい。

サウード家の台頭が十八世紀の前半のこと、サウード家のアブド・アル＝アジーズ（通称イブン・サウード。一八八〇～一九五三）による建国が一九〇二年、以来百年の歴史にすぎない。国名はサウード家のアラビアの意味である。さらに言えば王家を中心に石油産業を起こして一気に現代化に踏み込んだのは第二次大戦以後のこと。リヤド周辺は昔からオアシスであり、通商の中心地であり、サウード家の故里《ふるさと》であったが、現代都市としての様相を顕著に示すようになったのは、これもここ二、三十年のことである。それだけに町の建設はデザインにおいても施工《せこう》技術においても最先端を行くモダンなものばかり。現代の粋が凝らされている。

こうした施設の見学も一興だが、歴史的な観光となると、すぐ近くの古都ディライーヤ。サウード家が初めて都と定めた町で、褐色の広大な宮殿跡が残されている。日干し煉瓦《れんが》を積んで固め、細長い三角窓が特徴だ。三角窓がたくさんあるのは風通しをよくするためだが、少ないところは敵の矢を防ぎながら、こちらから射るためだったろう。一通りの見ものではあるけれど、

——まあ、よくあるタイプですね——

しみじみと目を見張るほどの遺跡ではなかった。

リヤド市内に戻って驚かされるのは今なお旧市街の中心部に首切りの広場があることだ。安息日には衆人環視の中で首切りの刑、手首・足首を切り落とす刑、穴に埋め石を投げ打つ刑などが実際におこなわれるとか。もちろんこれは殺人、レイプ、姦通《かんつう》、悪質な盗みなど重罪に限って科せられる刑罰だが、あな恐ろしや、恐ろしや、日本の小説家はここでは生きていけそうもない。

町を歩いていて女性の姿を見ることは、ほとんどない。女性は人前に姿を示さないのがこの国のルールである。

「買い物なんか、どうするんですか」

と、現地のガイド氏に尋ねると、

「男性がやります。夫や兄弟、雇い人が受け持ちます。家族以外の男性とは、とにかく女性は顔を合わせないんです」

「じゃあ店の店員のほうは？　店員に女性はいないんですか」

男性が買い物に行けば、売り子の女性と顔を合わせるのではないか……と思ったが、これは素人《しろうと》のあさはかさ。

「女性の店員なんかいません。女性は外で働きません」

確かに……。スーパーマーケットみたいな店舗もあったけれど、働いているのは男性ばかり、買いに来るのも男性ばかり。

「絶対にいないんですか、女性の労働者は？」

「いるとすれば、外国人女性ですね。周辺のイスラム諸国から出稼ぎに来た人」

「サウジアラビア航空のスチュワーデスはどうなんです？」

「みんな外国人でしょう」

機内の彼女等は慎しみ深い服装ではあったけれど黒いアバヤではなかった。あれも外国人だから許されるのだろうか。

「しかし、それでやっていけるのかなあ」

現代の生活が……。

「あ、女子学校の先生とか、女性を診る医師とかには女性がいます。この人たちは、女性だけを相手にするし、逆にそういうところでなければ女の子は勉強にも行けないし、体の不調を診てもらうわけにもいきません」

完全なる男女別扱い。男子校には女性の先生も事務員もいないし、女子校に男性はいない。校長といえども女子校では男性は不可である。まして女性が男性医師の前で体を開くことなど原則としてありえない。社会は厳格に男性の部、女性の部、二重の構造になっているのだ。

医師の話をしているうちに私は珍妙なことを考えてしまった。

「女性は百パーセント近く女医の診断を受け、治療も女性から受けるわけですね?」

「まあ、そうです」

「女医の中には優秀な人もいるでしょうけれど、平均的には男性の医師のほうが優れているんじゃないですか。高度の判断、高度の治療ということなら、やっぱり男性医師にかかるほうが命の助かる確率が高いのとちがいますか」

どんな医師を選ぶかは患者にとってとても大切なことだ。日本のみならず世界のほとんどの国で名医に男性が多いのは確実だし、女性の社会進出が制限されているこの国では一層この傾向が強いだろう。サウジアラビアの女性はこの意味において男性よ

り命を失う可能性が高いのではないのか……。ガイド氏は、

「そういうことは言えるかもしれませんね」

と、あっさり認めたあとで少し笑い、こうつけ加えた。

「そうかもしれませんけど、男女の性差を取り払ってゴチャゴチャにし、淫《みだ》らな社会を作るより全体的にこのほうがいい、と私たちは考えています」

つまり端的に言えば、男性医師の前に女体を開くような淫らな慣行を許して淫らな社会とするより女性の命が少々短くなる制度のほうがまし、ということである。

因《ちな》みに言えば、このときのガイド氏はアメリカで学んで修士の資格を持つインテリゲンチュア。私たちの常識についても一定のわきまえを持っている。私の質問の意図も的確に捕らえてくれた。この国の富豪の御曹子《おんぞうし》で、文句なしのエリート。ほかに本業を持っているのだが、一つには英語が話せること、一つには彼自身、この国の観光業の育成に関心を持っていること、こうした理由により私たちのガイドを務めてくれたのである。熱心なイスラム教徒であったが、同時に明解なロジックの持ち主でもあった。だから……と、これはさらにこの国の法制について尋ねたときのこと、

「弁護士はいないんですよね」

「はい。そういうトラブルは宗教上の上位者が裁いて、それに従います。トラブルは

ありません」

「不当な判定はないんですか？　大変な不利益を被《こうむ》ることはないんですか？」

「それはみんな帳面につけてありますから」

と笑う。

「帳面？」

「はい。こっそりわるいことをしていても、あるいは逆に不当にひどい仕打ちを受けることがあっても、みんな帳面につけられて、プラス・マイナスが、あとで清算されますから」

「だれの帳面？　だれが清算してくれるんですか」

「そりゃ、アラーの神です」

この世のプラス・マイナスなどたいしたことじゃない。最後の審判でアラーがみんな清算してくださる。悪事を働いた者はその報いを受けるし、敬虔《けいけん》に生きていたにもかかわらず不利益を受けた者には救済がある。確かにコーランにはそう書いてあった。この約束がある以上、弁護士などを立ててゴチャゴチャ争う必要なんかないわけである。

——それでいいのかなあ——

現実にはイスラム社会においてもいろいろな係争が生じているし、生じないはずもないけれど、このあたりのロジックを……アラーの思召《おぼしめ》しを理解しないと、この国の倫理のありようは判じられない。やっぱり不思議の国なのである。

とはいえ私たちの旅は、ただの観光である。私は一介の旅行者である。深いところまではわかりにくい。

目的地はサウジアラビアであったが、旅のなかばでヨルダンに入った。

「へえー、お酒が飲めるの」

旅の期間中ずーっと禁酒を覚悟していたのだが、同じイスラム教徒の国でもヨルダンはアルコール飲料になんの制限もない。砂漠の旅のあとに飲むビールは格別にうまかったなあ。

が、気がついてみると、国境を越えてからの変化はアルコール飲料だけではなかった。同行の女性たちはアバヤを脱ぐ。

――同じイスラム国家でもこんなにちがうのか――

国境を一つ越えただけで、さまざまな差異が見えてくる。

ひとことで言えば、ヨルダンではまったく違和感がなかった。もちろん、

——外国に来ているんだ——

という意識はあるけれど、それはほかの異国を訪ねたときと同じである。

私はこれより前にトルコ、エジプト、チュニジア、モロッコ、いくつものイスラム圏に足を踏み入れていたけれど、大ざっぱな印象を言えばヨルダンはこれらと同じ、むしろ一層欧米的、そんな感じがなくもなかった。歴史的にもヨルダンはヨーロッパとの交流が密接だったろう。むしろサウジアラビアのほうが特別なのである。初めから意図したことではなかったが、同じ旅路の中で、二つの異なるイスラム国家を訪ねたのは格別に有意義であった。

考えてみれば、今から二千数百年前、アレキサンダー大王の東征のとき、今日のヨルダンが占める地域はぎりぎりその版図の中に入っていた。この遠征が東西文化交流の第一歩であり、ヘレニズムという思潮を生むことになったのは周知の事実である。国境を接していてもサウジアラビアが占める地域はサウス・オブ・ボーダー、ヘレニズムの外側の砂漠地帯としてヨーロッパからは、むしろなおざりにされた地域であった。ヨルダンが欧米的であることは昨日今日のことではあるまい。ヨルダンの首都アンマンを歩き高台に立って町をながめると、たとえばローマなどヨーロッパの古都の趣きさえ漂わせている。

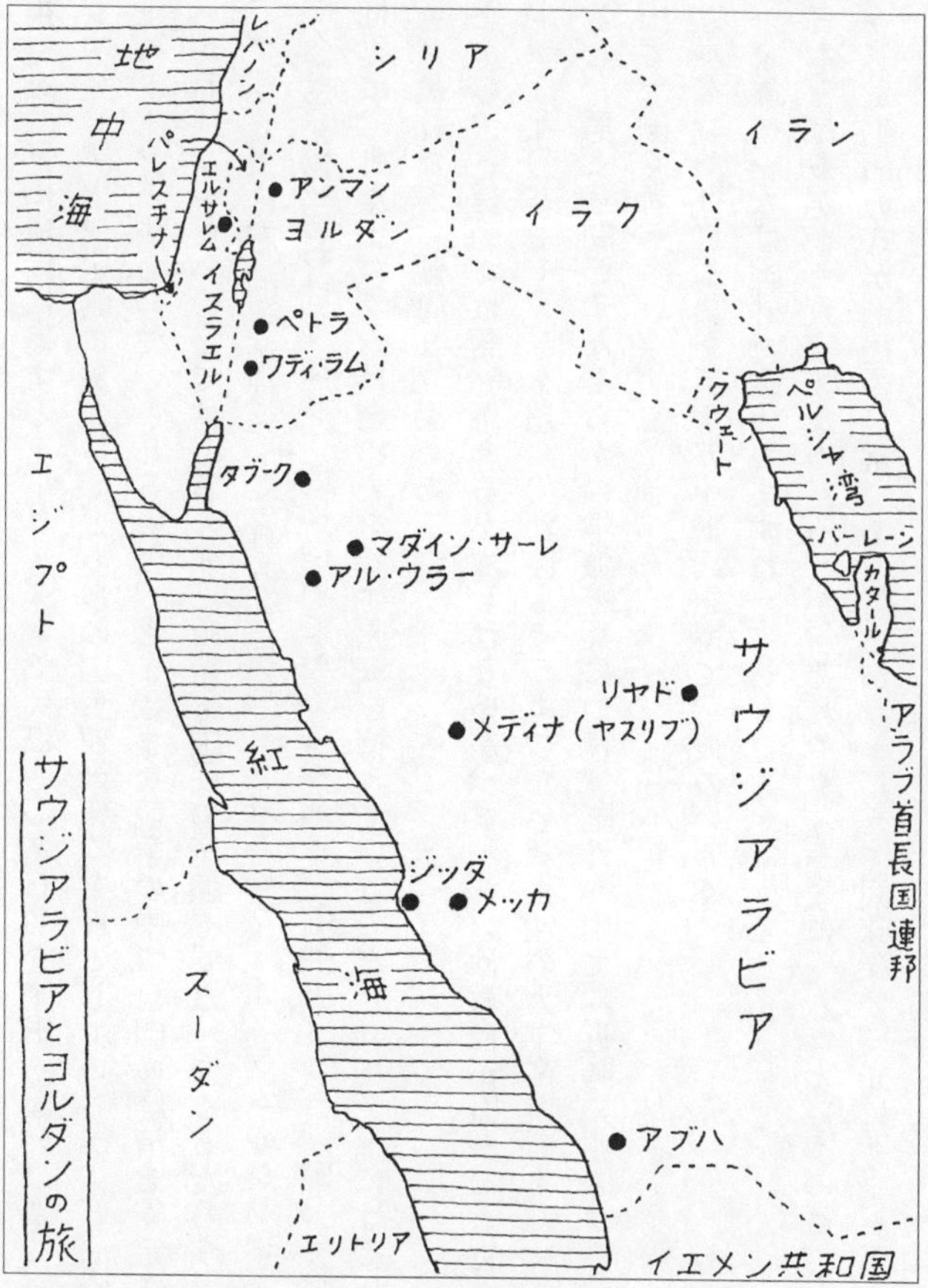
サウジアラビアとヨルダンの旅
地中海
レバノン
シリア
イラン
パレスチナ
エルサレム
アンマン
ヨルダン
イラク
イスラエル
ペトラ
ワディ・ラム
クウェート
ペルシャ湾
タブーク
エジプト
マダイン・サーレ
アル・ウラー
バーレーン
カタール
サウジアラビア
リヤド
メディナ（ヤスリブ）
アラブ首長国連邦
紅海
ジッダ
メッカ
スーダン
アブハ
エリトリア
イエメン共和国

視点を一気に現代に移すと……ヨルダンではほとんど石油を産出しない。ここがサウジアラビアと決定的に異なる。どちらの国も親米親欧を旨《むね》としているが、石油資源の上にドーンとすわっていられるのと、さまざまな競争の中で自国の経済を安定させていかねばならないのとでは、おのずと政策も国民の意識も異なってくるだろう。サウジアラビアは石油資源ばかりではなく聖地メッカという、イスラムのシンボルを〔あえて言えば、わけもなく〕懐《ふところ》に抱いているのである。石油とメッカ、黙っていても世界に、またイスラム社会に力を示す原資を持っているのだ。ヨルダンにはそれがない。失礼ながら凡庸な立場である。

だから、と言っては語弊があるかもしれないが、ヨルダンは教育が盛んだ。男性の識字率は九〇パーセントを超え、女性もそう劣らない。女性の大学卒業者もたくさんいるし、男女を問わずなんらかの学識を身につけ、国外へ出て〔近隣のイスラム諸国へ出て〕働く者が多い。

ヨルダンでは日本語を話すガイド氏を得て、彼のいわく。

「一家族に一人は国外で働いてますね」

日本とはちがって大家族なのだろうが、それでも〝一家に一人〟というのは、多い。こうした生活方式が庶民の日常であることがうかがえて興味深い。先にサウジアラビアで国外からの出稼ぎの人が多いことを聞いたが、おそらくヨルダンから入っている労働力が相当なパーセンテージを占めているのではあるまいか。石油のない国は国外に出て稼ぐ必要がある。

ヨルダン国王が穏健派であることはよく知られており、欧米とイスラム圏との和合のためにいくつもの成果をあげている。日本語を話すガイド氏が、

「サウジアラビアはイスラムのリーダーみたいな顔をしてアメリカに強硬な姿勢を採ったりしていますけど、その裏側ではアメリカとしっかり結びついているんだから、いい加減なものですよ。戒律を厳しくして一番りっぱなイスラム教徒みたいなことを言ってるけど、それだって見せかけだけ。上層階級はアメリカと完全に結びついてますから」

と、厳しく詰《なじ》っていた。

当たらずとも遠からず。9・11のニューヨーク爆破テロ事件から数カ月後のことだからイスラム教徒たちはアメリカに対して厳しい目を向けていた。サウジアラビアがイスラムの盟主のような立場を採りながら「なにしろお膝元《ひざもと》にメッカがあるのだから」経済的に、従って政治的にもアメリカと抜きさしならないほど深く、強く関わっている現実は、ヨルダンの庶民にとって釈然としないのだろう。隣同士の仲がわるい

のは珍しいことではないけれど、二つの国には国情がおおいにちがうぶんだけ余計に屈折した感情が伏在しているにちがいない。

ヨルダン観光の白眉《はくび》はペトラの遺跡である。世界遺産に指定され、映画〈インディ・ジョーンズ〉ではこの周辺がハイライトの撮影に利用されている。とりわけハズネの宝物殿跡が有名だ。

かつてここにはナバテア人というアラブ民族が勢力を張っていた。古代ローマと同じ頃あいである。ナバテア人は盛衰の歴史を繋《つな》ぎながら、奥へ奥へと町を建立《こんりゅう》していった。その痕跡《こんせき》が数多く残されている。

私たちはペトラのホテルに入り、まず夜のハズネ観光へと向かった。星あかりの下。周囲の様子はよくわからない。

遺跡の出入口の格子戸《こうしど》を抜けると、暗い道が伸びている。道の両脇《わき》に二、三十メートルの間隔をおいて小さな灯がともっている。そのあいだを進む。五、一・五キロの道のり。その三分の一を過ぎたあたりから両側は高い絶壁となる。五、六十メートルの岩壁と岩壁とのあいだを縫うようにして行くわけだ。

頭上には細い星空。足音だけがかすかに響く。歩きにくい道をひたすら進む。古代人はこの細道を利として隠れ家を造ったにちがいない。

突然、岩壁が途切れ、目の前が広くなった。小学校のグラウンドほどの広がり……。その奥の岩壁がほのかにライト・アップされて古代の宝物殿の正面が、二階建てのファサードが浮かんだ。漆黒に映る故宮……。

凄《すご》い。

このうえなく夢幻の風景。

私たちの到着を待っていたように〔事実、待っていたのだろうが〕ファサードの奥から古式のフルートが鳴って聞こえ、白装束の男が一人現われる。小笛を吹きながらゆっくりと近づいてくる。素朴でありながらみごとなパフォーマンスであった。しばらくは心を奪われてながめていた。私も世界各地を訪ねて奇観名勝を相当数見ているけれど、その中でも十本の指に、いや、五本の指に入れたくなる玄妙な風景であった。

翌日、輝く太陽の下で同じ道を行った。今度はずっと歩きやすい。岩壁の中に古い土管のあと、水路のあと、人間の足あとなどもわかる。勉強にはなったが、風景は前夜ほどではない。○印だが◎には届かない。

このハズネの奥には、さらにいくつもの宮殿跡や墳墓の跡、劇場の跡や出土品の博物館などがあって、全部を見ると三、四時間はたっぷりとかかる。長い年月にわたって盛衰を重ねたナバテア人の文明を垣間見《かいま》ることができたが、調査研究はまだ充分に進んでいるとは言えず、こちらの知識もまったく不足していて、

——はあ、結構なものですなあ——

一通りの感想を抱くレベルである。古代遺跡に触れたとき、よく体験する感触だ。この近くには、もう一つワディ・ラムなる名勝地があって、これは映画〈アラビアのロレンス〉でひときわ有名になったところ。イギリス人将校トーマス・エドワード・ローレンスがアラブ人を率いてオスマン・トルコと戦った歴史の舞台である。

——あ、そうなんですか——

砂漠を軽自動車で走るツアーは快適であったが、ローレンスの評判はアラビア人のあいだでかならずしもよいものばかりではなく、ここでも欧米人の見方とアラブ人の見方のちがいを痛感させられた。

ヨルダンからふたたびサウジアラビアに戻り、女性たちは、

「あっ、またアバヤを着なくちゃ」

と、ふたたび黒いオバQに変わる。再入国なのに入国のチェックは充分に厳しい。観光を認可していないのだから観光客に慣れていないのは自明である。

タブークのホテルに泊ったが、ここは農産物の集散地であり、国境を守る軍都でもあるらしい。

翌日はところどころに集落が点在する荒野を縫う舗装道路を走ってアル・ウラーへ。ここはサウジアラビア観光の眼目となるべき名勝地。ヨルダンのペトラがナバテア人の北の都であったならば、アル・ウラー郊外のマダイン・サーレは南の都であった。その遺跡が広大な砂漠の中に残っていて、これも一つ一つ、

――結構ですなあ――

と唸《うな》りながら見学するべきしろもの。私としては古代エジプト、あるいはフェニキアの痕跡を感じないでもなかった。

アル・ウラーでは夕日をながめたり、星空を仰いだり、駱駝《らくだ》に乗ったり、アラビアの旅を満喫できた。

かつてオスマン・トルコによって建設されたヒジャーズ鉄道、ダマスカスからメディナへと走っていた鉄道の駅舎や往時の機関車なども残されている。一九〇八年に開通し一九一七年に破壊された、とか。

そう言えば、このあたりは若いマホメットが隊商に加わって通ったところ。遺跡となっている旧市街を訪ねると、

「ここですね、マホメットが来たのは」

来たかもしれないが確かな痕跡はなにもないようだ。

些細《ささい》なことだが、アル・ウラーの町中でおもしろいことがあった。

午後の四時過ぎ、洋品店やスーパーマーケットが点在する街を歩いていると、サウジアラビアに来て、そう、本当に初めて若い女性たちを見た。三々五々連れだって歩いている。アバヤをまとっていても若い肢体はやっぱりわかるものだ。スカーフのようなものをかぶって目だけを出している。その目も私たちが近づくと、さらに薄黒いベールのようなものを落として隠す。

聞けば、この町には女子の高等教育の学校があって全国から良家の娘たちが集まって寄宿生活を送っている。故郷の家では召使いにかしずかれているとしても、ここでは身のまわりの雑務は自分でやらなければいけない。買いものに出ることもあるだろう。それがこの時刻。授業を終え、夕食までのひととき、ということだろうか。彼女らが店をのぞく様子もそんな事情にふさわしい。

彼女たちはなんの屈託もなくふるまっていたが「むしろさりげなく私たちに興味を示しているようだったが」同行のガイド氏のほうが、彼はやっぱりこの国の指導的立場を占めるエリートだからか、

「さ、早く。あっちへ行って」

と、言葉はわからないけれど身ぶりで彼女らを追い立て、私たちから遠ざける。娘たちはすなおに従う。それがこの国のルールなのだろう。

同行した私の妻が出入口で少女の一人にすれちがうと、むこうから……この少女は二つの目をあらわにしていたが、明らかに微笑を示して、

「グッバイ」

と囁《ささや》いて逃げて行く。

若い女性たちも異国の旅行者になにほどかの好奇心を抱いているのではないのか。いや、当然そうにちがいない。世界が開かれ始めていることを敏感に感じ取っているにちがいない。それを抑えることは宗教上の倫理はどうあれ人間性にもとることではないのか。遠ざかる娘の黒いうしろ姿が、こんなわずかなことで弾んでいるように見えた。今夜、夕食後のひととき、彼女たちはキャーキャーとはしゃぐかもしれない。

「街で外国人に会ったわ」

「どこの人？」

「日本人かしら」

「日本人て、中国人とちがうの？」

「国はちがうでしょ。でも区別つかないわ。女の人もいた」

「きれい？」

「アバヤを着てたから」

私はとりとめのない想像を描いた。

これとはべつに、また、もうひとつ、こちらは些細なこととは言えまい。

郊外地の丘へ車を走らせ、日没をながめた。褐色の海のように広がる砂漠。峨々《がが》たる山なみが遠く三百六十度を囲っている。その一隅に太陽が一日の仕事を終え、赤い火の玉となって落ちてゆく。荘厳《そうごん》なサン・セット。だれの胸にも深い感動が込みあげてくる。

折しも現地の人たちの祈りが、日没後のサラートが始まった。丘の上に夕日をながめるための展望台が設けられているのだが……私たちはそんな展望台より広い丘の上のあちこちに適当な場所を選んで散っていたのだが、現地の人たちが「ガイドやドライバーや、その仲間たちが」まっ白い衣装で十数人、地べたを避けてそこへ集まっていた。言い忘れたが、白い衣装は男たちの平服である。長袖《ながそで》のロング・ワンピース。形はおおむねきまっているが、襟もとなどに若干の趣向があり、しゃれ者はあつらえて絹で作らせたりするらしい。頭には赤い模様の布を被《かぶ》ってひるがえし、黒い輪で留める。映像などでよく見る服装だが、サウジアラビアでは、九〇パーセントを超えて男性はこれである。背広姿を見ることは少ない。事務服もこれ、ドライバーもこれ、店員もこれ。よほど激しく体を動かす仕事でなければ〔たとえば自動車整備工場のエンジニアなど〕街で、これ以外の装束を見ることはない。

話を戻して……夕べの展望台に白い十数人が集まって、一人が高らかに、

「アッラーフ・アクバル……」

祈りの言葉を詠じ始める。

声のいい男がいて、仲間うちではなんとなく彼が発声することになっているのだろうか。いっせいに日没に向かって祈り始めたが、

――待てよ――

ことさらに夕日を拝むわけではあるまい。原始宗教の祈りとはちがう。この日はたまたま日没の地点がメッカの方角と一致していたのだろう。

当然のことながらイスラム教徒の祈りは、人に見せるためのものではない。だからイスラム圏を旅していても、

――あ、祈りが始まったな――

と察することはしょっ中あっても、そして礼拝のうしろ姿くらいは垣間見ることが

あっても、全貌《ぜんぼう》を見ることは少ない。

だが、この夕べはちがった。白い衣装がみんな高い展望台の上に集まっていた。かくて刻々と気配を変えていく日没の大自然の中で厳粛なサラートの一部始終を実見することとなった。

――やっぱり、凄い――

まったくの話、なかなかのものである。整然と一糸乱れぬ、という様子ではない。おおむねそろっているが、ばらついているところもある。おくれて祈りに参加する者もいる。

みんなの動作がそろうか、そろわないか、そんなことは第一義ではあるまい。一人一人が神と向きあうのだ。その対峙《たいじ》の真剣さが、おのずとこちらにも伝わってくる。理屈を超えた信仰の強さだろうか。様式化された真剣さと言ったら、うがちすぎだろうか。

――よいものを見せてもらった――

日没もみごとだったが、広大な自然の中で厳粛に祈る姿はさらに深く心に響いた。

旅のスケジュールも終りに近づき、メディナへ入った。ヒジュラの地。マホメットの没したところ。メッカに次ぐイスラム教第二の聖地である。預言者のモスクがあって、ここに巡礼するイスラム教徒も多い。このモスクを眺望する写真、ポスター、絵葉書のたぐいは、いくらでもある。

が、私たちは街を通り抜け空港へ向かった……。

正直なところ、サウジアラビアへの旅が計画されたとき、私はなんの疑問もなく、二大聖地、すなわちメッカとメディナを訪ね、聖なるモスクに参拝できるものだ、と考えていた。信者でもない私が〝参拝する〟というのはおこがましいかもしれないが、見学することはできると思っていたし、それが目的の一つであった、と言ってもよいだろう。コースの中に聖地訪問が組まれるもの、と、てんから信じていた。ところが、

「いえ、それは無理です」

「どうして」

「異教徒は近づけません」

「そんなあ」

開《あ》いた口が塞《ふさ》がらなかった。コーランを知る一つの手がかりとしてサウジアラビアへ行こうとしているのに、二大聖地に入れなくて、なんとしよう。

だが、これは方便を許さない厳格なルールだった。

メディナについては町に入ることはできるが、モスクへは行けない。この町の空港から飛行機が飛び立つとき、

「窓から見てください」

なのである。

メッカに到《いた》っては町に近づくことさえ許されない。遠望も叶《かな》わない、というルールであった。つまり二大聖地への旅はイスラム教徒でなければ許されない秘事であり、一介の旅行者など問題にもされないのだ。それがルールであれば致し方ない。なにほどかの折衝を試みたが、あきらめた。

だからメディナに入っても車は空港へ向かうよりほかになかった。

私自身、この町のモスクについて……広大な敷地を占める預言者のモスクについて、一通りの知識は持っていた。どんな風景か、一応は写真などを見て知っていた。

「右側の窓です。飛び立って一、二分後くらい」

と教えられ、固唾《かたず》を飲んで、窓に顔を寄せていた。

――あれだ。見えた――

まっすぐに伸びた長い参道らしきもの、そして、その奥にあるモスク……。高いミナレットを確認したが……詳細は、すぐに消えた。

だから、これについてはこれ以上なにも語れない。

そして第一の聖地、メッカは飛行機からながめることもできない。航路がちがう。観光客に見せるところではない。

実際の話、日本の書店の棚を捜しても、少し大きい本屋ならば、メッカ、メディナの聖所を写したグラビアを見つけるのは、そうむつかしくはない。たいていの人が一度や二度、聖地に集まる群集と聖所の写真を見たことがあるだろう。記憶の断片くらい持っているだろう。写真はたくさん出まわっている。だが、そう簡単に近づけないとなると、

――どうやって写真を撮ったのかな――

当然この疑問が湧《わ》く。

イスラム教徒である写真家……。これならなにかしら撮影の許される方便があるだろう。岩波新書の〈メッカ〉は聖所と巡礼を写した出色の小冊子だが、著者の野町和《かず》嘉《よし》さんは、みずからイスラム教徒となって挑戦したようだ。いずれにせよ日本人にはそう簡単なことではあるまい。

私たちはメッカには行けず、メッカの西七五キロの大都市ジッダ［ジェッダ］に着陸。紅海に臨む港町で、首都リヤドに次ぐサウジアラビア第二の都市である。古くか

ら歴史に見える航海の要所だが、この町も発展がめざましい。リヤド同様に現代の建造物が随所に建ち並び、港ばかりではなく、海のリゾートとしておおいに人気を集めているようだ。その方面の施設も目立っている。

街を見物した。旧市街、古い町並み、かつて栄えた商人の家など……。アラビア・コーヒーの粉とデーツを買い求めた。この二つはサウジアラビアの旅で否応《いやおう》なしに親しんでしまう。アラビア・コーヒーは……どう言ったらよいのか、味も匂《にお》いも濃い生姜《しょうが》湯《ゆ》みたい。初めは、

——こりゃ、なんだ——

少し怪しむが、すぐに慣れて、おいしいと感ずる人もいるだろう。デーツはこの国の代表的な菓子。ナツメヤシの実の砂糖漬けだ。神秘の薬効があり、あまりたくさん食べると鼻血がブーッ、よくないとか。良質なものはかなり高価で、神秘の薬効はともかく、旅につきものの便秘の解消には役立つ。旅のあいだ、いつも食卓に出てくるので、つまんでいると癖になる。おいしさがわかるようになる。日本では求めにくい味覚である。

私はジッダの空港から帰路についたが、南に位置するアブハもお勧めの景勝地らしい。標高二千メートルを超える国立公園は、むしろイエメンの古い文化を残すユニー

クな保養地のようである。

旅の終りが近づくころ地元の新聞〈アルリヤド〉紙の記者の取材を受けた。私たちの旅が、サウジアラビア側にとって観光産業への打診の意味を持つものであったから、日本の小説家がなにを見て、なにを考えたか、それを尋ねたい、という主旨であった。私はとりあえず一般的なすばらしさを述べた。日本人はサウジアラビアについてほとんどなんの知識も持っていないけれど、こうして旅をしてみると、景観、遺跡、サッカー場や博物館を初めとする現代の施設など見るべきものの多くあることを語った。ほんの少しお世辞も混ぜて……。と言うより、すばらしいことは確かにすばらしかった、これはお世辞ではない。だが、どの国にだって、すばらしいところはある。「さあ、どうぞ」と見せられるものに、わるいものは少ない。サウジアラビアの観光スポットはみんなすばらしかったけれど、このレベルのすばらしさは、対象はちがっても、どの国にもある、特筆するほどではないだろう。特にこの国の人々が誇りとするマダイン・サーレなどナバテア人の遺跡は、

――ヨルダンのほうが上かもしれない――

少なくとも、あの夢幻のハズネをヨルダンで見てしまったあとではサウジアラビア

にナバテアのための軍配をあげにくい。

しかし、この判断には主観が相当に関わっているだろう。客人としての儀礼もある。強くは言わなかった。

それを抑えてでも、どうしても伝えたかったのは、むしろ、

「みんなすばらしいところばかりでした。しかし、本当にこの国の観光ということなら……つまり、この国の見どころを他国の人に示すということなら、メディナ、メッカを抜きにしてはありえないと私は考えます。ほかに類のない絶対の名所と言えば、この二つでしょう。もちろん、心ない観光客もたくさんいます。だから、だれにでもメッカ、メディナを開放して見せるべきだ、などとは申しません。しかし、それなりの敬虔《けいけん》さを持って訪ねてくる旅行者にメッカ、メディナを、可能な範囲でいいから示してこそ、この国の人々の信仰がどれほどひたむきなものか、イスラム教の偉大さがどのようなものか、まのあたりに訴えることができるでしょう。相互の理解にも役立ち、それが観光の神髄だと思います」

これが私の一番の感想であった。

インタビューは英語からアラビア語へと伝えられた。私には自分の言葉がどう翻訳されたか、わからない。同席した私の妻にも感想が求められ、

「女のかたが家にだけ閉じ込められていて、それで満足なのでしょうか」

記者が憮然《ぶぜん》として答えて「おおむね表情の固い紳士であったが」

「女性たちは男性の保護を受けて幸福に暮らしてます」

ガイド氏もかたわらで頷《うなず》く。だが、私の妻は、

「きっとそうなんだと思います。でも、それは男のかたからではなく、女のかたからじかに聞きたいですよね」

これも正確に訳されたかどうかはわからなかった。

後日、東京に届けられた新聞には「アラビア語を訳してもらわなければならなかったが」

〝阿刀田高氏と会見。彼は日本の多くの新聞・雑誌に執筆している作家である。われわれはサウジ王国の真の姿を日本に知らせる役割について質問をした。彼は答えて「残念ながら、日本ではサウジ王国に関する情報はたいへん貧しく、イスラム教や、王国内の女性たち、その他についての情報は正しいものとは言えません。しかし私の信じるところでは、もっと大規模に観光を開放すれば、その観光旅行及び観光客によって、王国の正しいイメージが伝わるでしょうし、独特の魅力を持った王国を訪問することに多くの人が憧《あこが》れを持つでしょう。王国には、景勝、遺跡、博物館、砂漠など

見どころが豊富で、多くの人が観光客となる喜びを享受《きょうじゅ》するでしょう。日本の人々がサウジの人々に好意を抱き、二国間に良好な関係が築かれ、観光についても肯定的な気分が反映されるでしょう」さらにサウジアラビアの観光を発展させる提案は？という質問に、彼はこう答えた。「サウジアラビアは美しい国で、多くの観光資源を有しています。それはマダイン・サーレの遺跡であり、リヤドの町であり、美しい砂漠です。が、観光の基礎となる部分には注意を払わなければなりません。例えば私はサウジアラビアに関する多くの本が日本語で出版されてほしいと思います。また例えばマダイン・サーレ遺跡に観光用の空港があればと思いますし、アル・ウラーは重要な観光地であるにもかかわらず、そこへの道は小さすぎると思います。高速道路が必要です。同じくツアー・ガイドの充実にも注意を払い、これは長い時間をかけて準備しなくてはなりません。ところどころでなぜと怪しむほど写真やビデオの撮影に制限があったことも今後、考慮していただきたい。みなさんがもっともっと観光に関心を持ってほしいですね。観光は今の時代には非常に重要なものであり、あなた方は成功するための貴重な財産をお持ちなのですから」〃

と載っていた。

綴《つづ》られているのはおおむね私が語ったことだが、肝腎《かんじん》なところが落ちている。メッカ、メディナのこと……。妻の言葉などかけらもない。通訳を担当したガイド氏が慮《おもんぱか》ったのか、記者がためらったのか、どちらのケースも考えられる。どちらにせよ、私は軽々に咎《とが》めようとは思わない。私たちにとって普通の発言でも、国が変われば普通に受け取られないケースもあるだろう。時間をかけて埋めていかなければならないことなのだ。私が話したことの眼目が、伝えられなかったのが現実であり、そのことの意味にこそ思いを馳《は》せるべきだろう。サウジアラビアはもっともコーランに近い国だが、今のところサウジアラビアもコーランも私たち日本人にとってはかなり遠い。充分に遠い。

コーランを瞥見《べっけん》しマホメットとその末裔《まつえい》たちを伝え、サウジアラビアの風土を駈《か》け足で紹介したけれど、こんなものではまだまだ不充分と、だれよりも私自身がよく心得ている。

とはいえイスラムへの理解は二十一世紀の大きな課題、これからの世界は南北問題を避けて通れまい。このエッセイの記述が読者諸賢にとってコーランへの関心をうながすものとなってくれれば、とてもうれしい。

# あとがき

二十一世紀の世界はイスラムとの協調を抜きにしては考えにくい。そのイスラムの根底にあるのがコーラン、と、これもまた論をまたない。

にもかかわらず私たち日本人はコーランをほとんど知らない。理解は極端に浅い。

このエッセイは日常の読書の中でコーランをやさしく読み知っていただくこと、ただそれだけを願って綴《つづ》った。コーランの深遠さと特殊性を考えれば、これが不十分なものであることを、筆者自身、よく承知している。不足については切なる願いに免じてお許しいただきたい。

このエッセイを執筆するに当たり、コーランの日本語訳として、まず日本ムスリム協会発行の〈聖クルアーン〉を基本資料とし、さらに井筒俊彦訳〈コーラン〉上中下（岩波文庫刊）および藤本勝次責任編集〈コーラン〉（中央公論社刊・世界の名著15）を参考として大意の把握に努めた。文中でもしばしば触れたように、コーランはアラビア語で詠《よ》まれるのが本道であり、やさしい日本語で紹介する道は本源的にむつかしさがともなう。不敬にも陥りかねない。このエッセイは、それでもなお多くの、ごく普通の日本人にコーランのおおよそを知ってほしい、それが二十一世紀的視点であることを信じて綴ったものである。微衷をお察しいただきたいと願う。

そのほかの引用・参考文献については、その都度文中で示したが、それとはべつに〈岩波イスラーム辞典〉(岩波書店刊)あるいは〈イスラム事典〉(平凡社刊)など広く示唆《しさ》を受けたものも多い。やさしいエッセイという目的もあって詳細な記載を省略させていただくが、直接ご教示をたまわった諸先輩を含めて関係者各位に衷心より感謝を申しあげたい。ありがとうございました。

著者

# 阿刀田高　文庫分類目録

＊ミステリー、奇妙な味、ブラック・ユーモアに
属する小説、および小説集

『冷蔵庫より愛をこめて』（講談社文庫・'81年9月刊）
『過去を運ぶ足』（文春文庫・'82年1月刊）
『ナポレオン狂』（講談社文庫・'82年7月刊）
『Aサイズ殺人事件』（文春文庫・'82年9月刊）
『食べられた男』（講談社文庫・'82年11月刊）
『夢判断』（新潮文庫・'83年1月刊）
『一ダースなら怖くなる』（文春文庫・'83年6月刊）
『壜話の恋』（講談社文庫・'84年2月刊）
『恐怖夜話』（ワニ文庫・'84年4月刊）
『コーヒー・ブレイク11夜』（文春文庫・'84年9月刊）
『マッチ箱の人生』（講談社文庫・'84年10月刊）
『最期のメッセージ』（講談社文庫・'85年2月刊）
『街の観覧者』（文春文庫・'85年10月刊）
『早過ぎた予言者』（新潮文庫・'86年2月刊）
『NAPOLEON CRAZY』（講談社英語文庫・'86年3月刊）
『待っている男』（角川文庫・'86年6月刊）
『危険信号』（講談社文庫・'86年9月刊）
『仮面の女』（角川文庫・'87年6月刊）
『だれかに似た人』（新潮文庫・'87年6月刊）
『猫の事件』（講談社文庫・'87年9月刊）
『ミッドナイト物語』（文春文庫・'87年10月刊）
『黒い箱』（新潮文庫・'88年4月刊）
『迷い道』（講談社文庫・'88年12月刊）
『知らない劇場』（文春文庫・'89年1月刊）
『真夜中の料理人』（講談社文庫・'89年10月刊）
『明日物語』（文春文庫・'90年7月刊）
『恐怖同盟』（新潮文庫・'91年1月刊）
『危険な童話』（新潮文庫・'91年4月刊）
『妖しいクレヨン箱』（講談社文庫・'91年5月刊）
『霧のレクイエム』（講談社文庫・'91年10月刊）
『Vの悲劇』（講談社文庫・'92年6月刊）
『東京25時』（文春文庫・'92年12月刊）
『他人同士』（新潮文庫・'93年1月刊）
『心の旅路』（角川ホラー文庫・'93年7月刊）
『いびつな贈り物』（集英社文庫・'94年2月刊）
『夜に聞く歌』（光文社文庫・'94年11月刊）
『消えた男』（角川文庫・'95年1月刊）
『奇妙な昼さがり』（講談社文庫・'96年3月刊）
『箱の中』（文春文庫・'97年5月刊）
『朱い旅』（幻冬舎文庫・'98年4月刊）
『あやかしの声』（新潮文庫・'99年4月刊）
『新諸国奇談』（講談社文庫・'99年5月刊）
『Aサイズ殺人事件』（創元推理文庫・'04年5月刊）

『コーヒー党奇談』（講談社文庫・'04年8月刊）

＊現代の風俗、男女の関係をテーマとする小説、および小説集

『異形の地図』（角川文庫・'84年5月刊）
『ガラスの肖像』（講談社文庫・'85年12月刊）
『不安な録音器』（中公文庫・'88年1月刊）
『風物語』（講談社文庫・'88年2月刊）
『東京ホテル物語』（中公文庫・'88年6月刊）
『影絵の町』（角川文庫・'89年8月刊）
『ぬり絵の旅』（角川文庫・'89年10月刊）
『時のカフェテラス』（講談社文庫・'90年5月刊）
『花の図鑑』（上・下）（新潮文庫・'90年5月刊）
『花惑い』（角川文庫・'91年1月刊）
『面影橋』（中公文庫・'91年5月刊）
『愛の墓標』（光文社文庫・'91年11月刊）
『響灘　そして十二の短篇』（文春文庫・'92年7月刊）
『空想列車』（上・下）（角川文庫・'92年12月刊）
『猫を数えて』（講談社文庫・'93年11月刊）
『やさしい関係』（文春文庫・'96年6月刊）
『花の図鑑』（上・下）（角川文庫・'99年8月刊）
『不安な録音器』（文春文庫・'01年6月刊）
『面影橋』（文春文庫・'01年10月刊）
『メトロポリタン』（文春文庫・'02年3月刊）
『鈍色の歳時記』（文春文庫・'02年12月刊）
『花あらし』（新潮文庫・'03年6月刊）
『黒喜劇』（文春文庫・'05年6月刊）

＊伝記小説、歴史にちなんだ小説など

『夜の旅人』（文春文庫・'86年10月刊）
『夢の宴』（中公文庫・'93年1月刊）
『海の挽歌』（文春文庫・'95年7月刊）
『リスボアを見た女』（新潮文庫・'95年10月刊）
『新トロイア物語』（講談社文庫・'97年12月刊）
『幻の舟』（角川文庫・'98年10月刊）
『獅子王　アレクサンドロス』（講談社文庫・'00年10月刊）
『快談』（幻冬舎文庫・'01年4月刊）

＊エッセイ、教養書、雑書に属するもの

『江戸禁断らいぶらりい』（講談社文庫・'82年2月刊）
『頭の散歩道』（文春文庫・'83年2月刊）
『ジョークなしでは生きられない』（新潮文庫・'83年7月刊）
『ブラック・ジョーク大全』（講談社文庫・'83年9月刊）
『詭弁の話術』（ワニ文庫・'83年12月刊）
『ギリシア神話を知っていますか』（新潮文庫・'84年6月刊）
『ことばの博物館』（旺文社文庫・'84年10月刊）

『まじめ半分』（角川文庫・'84年10月刊）
『ユーモア人間一日一言』（ワニ文庫・'84年12月刊）
『恐怖コレクション』（新潮文庫・'85年4月刊）
『左巻きの時計』（新潮文庫・'86年5月刊）
『笑いの公式を解く本』（ワニ文庫・'86年8月刊）
『夜の紙風船』（中公文庫・'86年10月刊）
『アラビアンナイトを楽しむために』（新潮文庫・'86年12月刊）
『映画周辺飛行』（光文社文庫・'87年11月刊）
『頭は帽子のためじゃない』（角川文庫・'88年1月刊）
『あなたの知らないガリバー旅行記』（新潮文庫・'88年4月刊）
『エロスに古文はよく似合う』（角川文庫・'88年10月刊）
『ことばの博物館』（新版）（文春文庫・'89年6月刊）
『ユーモア毒学センス』（ワニ文庫・'89年9月刊）
『雨降りお月さん』（中公文庫・'89年9月刊）
『食卓はいつもミステリー』（新潮文庫・'89年12月刊）
『花のデカメロン』（光文社文庫・'90年11月刊）
『阿刀田高のサミング・アップ』（新潮文庫・'93年6月刊）
『詭弁の話術』（新版）（角川文庫・'93年9月刊）
『三角のあたま』（角川文庫・'94年1月刊）
『旧約聖書を知っていますか』（新潮文庫・'94年12月刊）
『魚の小骨』（集英社文庫・95年11月刊）
『新約聖書を知っていますか』（新潮文庫・'96年12月刊）
『好奇心紀行』（講談社文庫・'97年10月刊）
『日曜日の読書』（新潮文庫・'98年5月刊）
『アイデアを捜せ』（文春文庫・'99年2月刊）
『夜の風見鶏』（朝日文庫・'99年3月刊）
『犬も歩けば』（幻冬舎文庫・'00年4月刊）
『ホメロスを楽しむために』（新潮文庫・'00年11月刊）
『ミステリーのおきて102条』（角川文庫・'01年10月刊）
『小説家の休日』（集英社文庫・'02年4月刊）
『私のギリシャ神話』（集英社文庫・'02年12月刊）
『ミステリー主義』（講談社文庫・'03年1月刊）
『シェイクスピアを楽しむために』（新潮文庫・'03年1月刊）
『楽しい古事記』（角川文庫・'03年6月刊）
『ものがたり風土記』正・続（集英社文庫・'03年8、9月刊）
『陽気なイエスタディ』（文春文庫・'04年3月刊）
『殺し文句の研究』（新潮文庫・'05年1月刊）

――2005年12月現在――

# 解　説

池内　恵

阿刀田さんがコーランについての連載を小説誌で始めたと知ったとき、これはぜひ目を通しておかねば、と思った。ただ、同時に、社会の隅っこでごそごそ文献をいじっている研究者にありがちな僻《ひが》み根性が、心の片隅に浮かび上がったことも告白しなければならない。「なぜいまさらあの阿刀田さんがイスラム教に関心を？」「9・11事件でイスラム教が注目を集めたからといって目ざとく参入したんじゃないの？」「多忙の流行作家がどれだけ本腰を入れて取り組めるものやら」等々。

しかし連載が粘り強く続くにつれて、そういった疑念は晴れた。明らかに阿刀田さんは本気なのである。しかも関心と執念は持続しているようで、今回文庫に入るに際しては、コーランからの引用も阿刀田さんの納得のいく文体と表現に改めている。ひねこびた先入観を持ったことを恥じると共に、そもそも一つでもいいかげんな仕事をするようだったらここまで長い間流行作家の座を維持していない、と思い知らされた次第である。

「イスラム教について私はまったく無知なので、なにか一冊、最初に読む本を教えてくれませんか?」といった質問をよく受ける。もっともな質問である。しかし残念なことに、これまではこの最初に読むべき一冊、というものを挙げることができなかった。「イスラム」「中東」「アラブ」といったキーワードを満載した書物なら、一般書・学術書に限らずかなり多く出版されている。けれどもイスラム教の基本や概要を、日本の一般読者にとって適切なかたちで解き明かした入門書はというと、どうにもふさわしいものが見当たらないのである。

もちろん少数の卓越した研究者はいて、その人たちが書いた本に優れたものはある。ただ、それらは専門研究の道に進む第一歩として挑戦するなら有益なのだが、あくまでも知的好奇心から関心を抱き、ほかの数多くのテーマと同様にイスラム教についても知りたい、という読者にとっては必ずしも適切ではない。特定の部分を深く掘り下げたり、一面のみをとらえて全体化したりする本も多く、大前提となる、イスラム教徒にとってはごく当たり前だが日本の多くの読者にとっては初耳の(あるいは驚天動地の)事実や観念について、全く説明がなかったりする。これではむしろいっそう誤解を生んだり、不可解の印象のみ募らせてしまいかねない。

考えてみれば、そもそも私自身がイスラム教を専門に学んでみようという気になった理由も、日本語で適切な入門書がみつけられず、それなら自分で本当のところを探ってみよう、と思ったからなのだ。

『コーランを知っていますか』が、こうして文庫になった今、世の読書人がイスラム教に取り組んでみよう、と思い立ったときに最初に読む一冊として、文句なしに紹介できる。これは解説を頼まれたから大げさに持ち上げているのでもなく、文壇の大御所になびいているのでもない。本来なら専門研究者がこういう入門書を書いておくべきだったのに、まったく門外漢の流行作家に先を越されてしまったという、悔しさも感じている。正直に言ってしまえば、私自身がいつかこういう本を書いてみたかった。しかしそんな本を出すためには、まずは専門研究書を山ほど書き上げねばならず、広く熱心な読者をつかむに足る文体も獲得しなければならない。それは私にとってはるか先に霞《かす》んだ目標地点である。だから阿刀田さんが書いてくれたことを素直に喜びたい。

阿刀田さんはこれまでにギリシア神話やアラビアンナイト、旧約・新約聖書やシェイクスピアといった古典を平易に読み砕いた本を出している。その意味で『コーランを知っていますか』も阿刀田版古典解読の一冊ということになるのだろうが、この本だけはちょっと変った性質のものになった。ギリシア神話や聖書などは、近代文学に直接にインスピレーションを与えていて、その意味で阿刀田さんの作家としてのキャリアにおいても折に触れ立ち返るものであったに違いない。しかしコーランはそうではない。

なによりもコーランには全編を通したストーリーがない。全編どころか、各章にも明確な筋があることはほとんどない。数節単位でぶつぶつと切れてしまい、時間の流れも一方向でない。愛も恋も、人間的な情も主要な関心事ではない。あるのはひたすら神の一人称からの命令である。

長短のストーリーを自在に操る作家として、コーランに取り組んだ当初に味わった困惑は想像できる。作家の見立てによれば「ストーリーらしいストーリーはコーラン全体を通して十あるか、二十あるか」ということになる(第8話。285—286頁《ページ》)。もし古典解読シリーズの新作としてお茶を濁すような気が阿刀田さんに少しでもあれば、コーランからちょっとでもストーリーらしきものの断片を探し出して尾ひれをつけて紹介すればよかっただろう。しかしそんな安易な道に流れず、腰を据えて勉強し、イスラム教の啓示の書の成り立ちから、マホメット（ムハンマド）の生涯、イスラム教団の歴史、基本的な教義の解説まで細やかに気を配って盛り込んだ、実によくできた入門書を仕上げてしまった。何度か具体的に言及するM・ワットの研究をはじめとした、かなり「筋のいい」調べものをしていることは明瞭《めいりょう》に伝わってくる。一般読者がコーラン通読に挑戦したときにひっかかる疑問点の多くに、的確な解説を加えてくれた。

キリスト教やユダヤ教とイスラム教の間の、近そうでいて到底嚙《か》み合わない厄介な関係を紹介するところなどは、コミカルな掛け合いにめかして、教義論争と護教論のいちばんおいしいところを掬《すく》ってきている。例えばこんな感じである。

ユダヤ教の側から言えば［キリスト教も同じだが］

「毎度のことだけど、コーランはおれたちの聖典のいいところを抜いて、勝手に自分たちの話にしてるわ」

となるし、イスラム教の側では、

「真実は、一つ。アラーはすべてお見通しなのよ［後略］」（第4話。122頁）

洋の東西を問わず中世の神学書というものはやたらと長たらしく難解な用語を駆使して議論するので読んでいて頭が痛くなるのだが、結局何をやっているかというと、阿刀田さんが翻案して紹介するようなやり取りなのだ。

そして、そういった知識が単なる概念の羅列や無目的の薀蓄《うんちく》になっていないのは、全編を通じて「日本人としてコーランをどう理解するか」という姿勢で筋が通っているからだろう。これは日本人の価値観でコーランやイスラム教を裁断するということではない。コーランの内的構造をしっかりと把握し、イスラム教徒の発想法にとことん付き合って一度は「相手の土俵」に乗っている。

そうやっていったん理解を突き詰めた上で、日本人の立場に立ち戻る。片足を相手側に渡しつつ、重心はしっかりとこちら側の足に残している。そこがこの本の肝心なところだ。

コーランには虚を突かれたように感じるまでに、赤裸々に人間性の本質をとらえた普遍的な部分が現れるのと同時に、異教徒の立場からいえばどうにも納得がいかない部分も頻出する。イスラム教から見た異教徒、特に多神教徒の扱いなどはその最たるものだろうし、女性の現世や来世での立場などもそうだろう。イスラム教徒にとってはまったく当然のことであるにもかかわらず、こちらは納得がいかないのだから厄介である。

ここがイスラム専門家が罠《わな》にかかるところで、「絶対の真理」を一貫して主張するコーランとイスラム教徒の立場に立って日本や日本人を裁断してしまう。そうなると信仰を告白しているようなものだから、日本で信仰が自由である以上誰も反論はしないだろう。反論が出ないからといって理解や納得を得られたわけではない。

阿刀田流の取り組み方は、非常にオトナである。納得がいかない部分についてまず、コーランの内側の論理や、イスラム教徒の側からのよくある解釈を示す。それをまず最大限理解しようとする。そのうえで、ぼそっと疑問をつぶやいてみる。

「それにしてもかしずくのは乙女ばっかりで……」

「――都合がよすぎるんじゃない？――」

「――そりゃあんまりな――」

「――それでいいのかなあ――」

「——関係ないんじゃないの——

と考えたくなるけれど、」

「あと追いの理屈のような気がして、少し釈然としないところもあるけれど」

これらはいずれもそういった絶妙なつぶやきである。もちろんこういったイスラム教徒のカンに触りそうな記述をしてしまった後には、急いで「不敬かもしれないが」「……と思ったが、これは素人《しろうと》のあさはかさ」といった言葉を付すのを忘れない。場合によっては、

「さすがマホメット。いや、ちがった。さすがアラーの慧眼《けいがん》」

見通しのよさとして感服するべきだろう。

とまで絶賛してバランスを取ってみたりする。聖典批判の許されていない世界と向き合う際に、踏んでしまいかねない危険な地点を嗅《か》ぎ取るツボを、しっかりと心得て

いる。

本書はコーランとイスラム教についての簡にして要を得た入門書というだけではない。ごく普通の日本人がイスラム教とその信仰者との関係を結んでいくための、心のかまえを示してくれている。本書を手にした読者は、寛容とユーモアの精神を前面に、余裕と自尊心を背中に保ちつつ、他者と向き合っていくためのこの上ない伴侶《はんりょ》を得たと言ってよいだろう。

（平成十七年十一月、国際日本文化研究センター助教授）

この作品は平成十五年八月新潮社より刊行された。

嵐山光三郎著

文人悪食

漱石のビスケット、鷗外の握り飯から、太宰の鮭缶、三島のステーキに至るまで、食生活を知れば、文士たちの秘密が見えてくる——。

嵐山光三郎著

芭蕉紀行

これまで振り向かれなかった足跡にもスポットを当てた、空前絶後の全紀行。芭蕉の衆道にも踏み込んだくだりは圧巻。各章絵地図入り。

嵐山光三郎著

文人暴食

伊藤左千夫の牛乳丼飯、寺山修司の「マキシム」、稲垣足穂の便所の握り飯など、食癖からみる37作家論。ゲッ!と驚く逸話を満載。

河合隼雄著

働きざかりの心理学

「働くこと=生きること」働く人であれば誰しもが直面する人生の〝見えざる危機〟を心身両面から分析。繰り返し読みたい心のカルテ。

河合隼雄ほか著

こころの声を聴く
―河合隼雄対話集―

山田太一、安部公房、谷川俊太郎、白洲正子、沢村貞子、遠藤周作、多田富雄、富岡多恵子、村上春樹、毛利子来氏との著書をめぐる対話集。

加治将一著

石の扉
―フリーメーソンで読み解く世界―

明治維新、十字軍、ピラミッド、金融相場……。歴史の背後に必ず存在した秘密結社フリーメーソンの実体を暴くノンフィクション。

池澤夏樹著

マシアス・ギリの失脚

谷崎潤一郎賞受賞

のどかな南洋の島国の独裁者を、島人たちの噂でも巫女の霊力でもない不思議な力が包み込む。物語に浸る楽しみに満ちた傑作長編。

遠藤周作著

イエスの生涯

国際ダグ・ハマーショルド賞受賞

青年大工イエスはなぜ十字架上で殺されなければならなかったのか——。あらゆる「イエス伝」をふまえて、その〈生〉の真実を刻む。

遠藤周作著

キリストの誕生

読売文学賞受賞

十字架上で無力に死んだイエスは死後〝救い主〟と呼ばれ始める……。残された人々の心の痕跡を探り、人間の魂の深奥のドラマを描く。

曽野綾子著

心に迫るパウロの言葉

生涯をキリスト教の伝道に捧げたパウロの言葉は、二千年を経てますます新鮮に我々の胸を打つ。光り輝くパウロの言葉を平易に説く。

末木文美士著

日本仏教史

—思想史としてのアプローチ—

日本仏教を支えた聖徳太子、空海、親鸞、日蓮など数々の俊英の思索の足跡を辿り、日本仏教の本質、及び日本人の思想の原質に迫る。

塩野七生著

サロメの乳母の話

オデュッセウス、サロメ、キリスト、ネロ、カリグラ、ダンテの裏の顔は？「ローマ人の物語」の作者が想像力豊かに描く傑作短編集。

# コーランを知《し》っていますか

新潮文庫　あ－7－29

平成十八年一月一日発行
平成二十九年五月三十日十四刷

著者　阿《あ》刀《とう》田《だ》高《たかし》

発行者　佐藤隆信
発行所　株式会社新潮社
郵便番号　一六二―八七一一
東京都新宿区矢来町七一
電話　編集部(〇三)三二六六―五四四〇
読者係(〇三)三二六六―五一一一
http://www.shinchosha.co.jp

価格はカバーに表示してあります。

乱丁・落丁本は、ご面倒ですが小社読者係宛ご送付ください。送料小社負担にてお取替えいたします。

印刷・大日本印刷株式会社　製本・憲専堂製本株式会社



ISBN978-4-10-125529-3　C0114